KU-690-759

L'Auteur

Fonctionnaire retraité et correspondant d'un quotidien régional, Henri Nicolas est l'auteur de dix romans (saga d'une famille de Saône-et-Loire entre 1629 et 1989). Depuis qu'il a cessé d'écrire des ouvrages de fiction, il s'est dirigé vers le régionalisme.

Il est vice-président de la Société des auteurs de Bourgogne, membre titulaire de l'Académie de Mâcon, et membre du jury de plusieurs prix littéraires : «Bourgogne» (prose), «Gustave Gasser» (poésie), et «Lucette Desvignes» (nouvelles).

Henri NICOLAS

LE MORVAN

Collection dirigée par : Gérald GAMBIER
Secrétariat de rédaction : Martine LONVIS
Maquette et mise en page : Patricia BRUN

COLLECTION «LES HOMMES ET LEUR PROVINCE»

Dans la même collection

La Dombes, Georges Helmlinger
La Bresse de l'Ain, Tonia Paquelier, Gérald Gambier
La Bresse Bourguignonne, Jean-Claude Moireau, Jean-Marc Rimaz
La vallée de l'Ain, C.A.V.O.

Photo de couverture
La cascade du Saut de Gouloux sur le Caillot, affluent de la Cure.

8, rue du 4 septembre
01000 Bourg-en-Bresse

ISBN 2-87-629108-8
ISSN 1155-4290

Sommaire

REMERCIEMENTS

Joseph Bruley, rédacteur en chef du «Morvandiau de Paris»

François et Christiane Dumarais, hôteliers-restaurateurs à Planchez

Lucien Hérard,† préfacier de l'ouvrage

Claudine Raillard, secrétaire au Parc naturel régional du Morvan

Jean Séverin, ancien président de l'Académie du Morvan

Alain Solonel, chargé de mission P.R.D.C. Bourgogne centrale

Dom Angelico Surchamp, directeur-fondateur des Editions Zodiaque

Robert Urie, guide archéologique du mont Beuvray

Marcel Vigreux, professeur à l'Université de Bourgogne,

ainsi que

Mme la directrice de Saône-et-Loire Tourisme

et MM. les directeurs des Comités départementaux de tourisme de la Côte-d'Or, de la Nièvre et de l'Yonne.

CREDIT PHOTOS

h = haut - b = bas - d = droite - g = gauche - m = milieu

Emmanuelle ARNAL : 64b-142

Gérald GAMBIER : 10-16-18-19h-20-28d-29b-33-34-39-40-43b-44-50-51-56-63-66-67-68-70hd-70b-74h-75-76h-78-80-83h-85-89-90b-92-93h-94-95-96-99-101-103-104-108-109-110-113-114-116-136-138-141-143-144b-149-152-156-160hmg-163b-164

Marie GAMBIER : 93b

Louis MORIN : 81

Jean-Marc RIMAZ : 9-11-12-13-14-15-19b-21-22-23-25-26-27-28g-29h-30-31-32-35-36-37-38-41-42-43h-45-46-47-48-49-52-53-54-55-57-58-59-60-61-62-64h-69-70hg-71-72-74b-76b-77-79-82-83b-84-86-87-88-90h-91-98-100-102-106-107-111-112-115-117-118-119-120-121-122-123-124-125-126-127-128-129-130-131-132-133-134-135-139-140-144h-145-146-148-150-151-154-155-157-158-159-160bd-161-162-163h-165-166

PREFACE

Au siècle dernier, aussi bien à l'est qu'à l'ouest de ce massif montagneux pauvre et rude, il était de bon ton de dénigrer le Morvan d'où il ne venait, disait-on «ni bon vent, ni bonnes gens».

Passe pour le vent. Mais les mêmes railleurs étaient bien contents, à l'heure des moissons et des vendanges, de voir arriver, descendues de leurs hauteurs, des bandes de Morvandelles et de Morvandiaux apportant, pour ces rudes labeurs, le concours de leurs bras.

Puis, sans qu'on sache trop pourquoi - vogue du régionalisme ? - à la satire succéda la louange, et se réclamèrent du Morvan les habitants de communes de la périphérie qui jusqu'alors, se défendant comme de beaux diables d'être des Morvandiaux, assuraient, avec de grands gestes de la main, que le Morvan c'était là-bas, plus loin, mais, parole d'honneur, pas ici!

Ce «pays» - au sens d'entité géographique - ne méritait, certes, ni la louange dithyrambique, ni la satire acide; «ni cet excès d'honneur, ni cette indignité».

L'ouvrage d'Henri Nicolas se garde de ces défauts. Le Morvan y est vu de l'extérieur - ce n'est pas le livre de coeur d'un de ses enfants! - par un «étranger» bien informé, soucieux d'équité, d'une grande probité intellectuelle servie par une documentation solide et actualisée.

Il ne s'agit pas là d'un de ces produits mi-documentaires, mi-publicitaires, animés d'un enthousiasme puéril et mercenaire, qu'offre la propagande touristico-commerciale. C'est un livre de bonne foi, un livre consciencieux, objectif et lucide, d'un style impeccable, agréable et coulant.

En somme, une excellente présentation de ce coin de terre qui malheureusement demeure trop peu connu de nos compatriotes. Au nom du Morvan et des Morvandiaux, Henri Nicolas, bravo et merci!

Lucien HERARD †

Président d'honneur de l'Académie des Sciences,
Arts et Belles Lettres de Dijon.
Président fondateur et président d'honneur de la Société
des Auteurs de Bourgogne.

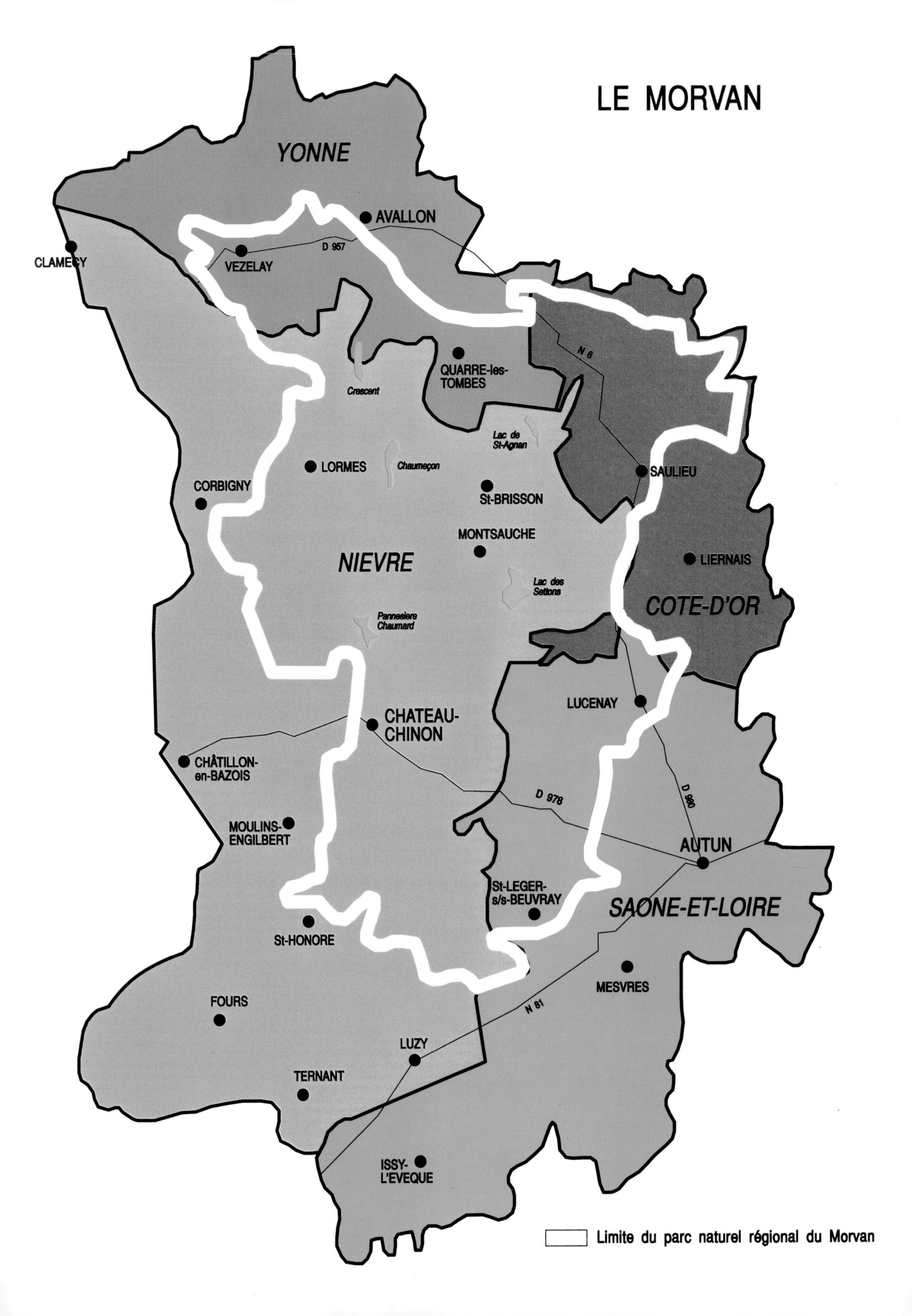
LE MORVAN
YONNE
AVALLON
CLAMECY
VEZELAY
D 957
N 6
QUARRE-les-TOMBES
Crescent
Lac de St-Agnan
LORMES
Chaumeçon
SAULIEU
CORBIGNY
St-BRISSON
MONTSAUCHE
NIEVRE
LIERNAIS
Lac des Settons
COTE-D'OR
Pannesière Chaumard
LUCENAY
CHATEAU-CHINON
CHÂTILLON-en-BAZOIS
D 978
D 980
MOULINS-ENGILBERT
AUTUN
St-LEGER-s/s-BEUVRAY
SAONE-ET-LOIRE
St-HONORE
MESVRES
FOURS
N 81
LUZY
TERNANT
ISSY-L'EVEQUE
Limite du parc naturel régional du Morvan

Le Morvan Existe-t-il ?

Le Morvan des grands espaces, écrin de verdure où se nichent bourgs et hameaux. Vue du bourg d'Anost.

Rencontre surréaliste entre le présent et le passé? Mais le TGV ne fait qu'effleurer le Morvan dans sa partie orientale, comme ici à Manlay.

Le Morvan : il est assez difficile à cerner, et encore plus difficile à pénétrer. Et d'abord, où commence-t-il? Où finit-il? On ne le sait pas très bien, chacun a sa petite idée là-dessus, chacun se construit un Morvan un peu à sa guise, et en fait une contrée plus ou moins grande, y mettant ou n'y mettant pas telle ou telle localité.

Donc, première impression : le flou, l'imprécision. Pourtant, certains disent que le Morvan commence là où commence le granite. Un peu à la manière d'Henri Vincenot qui racontait, en souriant dans sa moustache, que l'on était sûr d'être en Bourgogne à partir du moment où l'on rencontrait des gens roulant les «r».

Ce massif défie les grandes routes et les voies ferrées. Les unes et les autres l'évitent, comme les bateaux évitent les écueils. Elles le longent prudemment, attentives à ne point s'y aventurer, et tracent autour de lui une sorte de chemin de ronde.

Depuis l'autoroute Paris-Lyon, c'est bien simple, on ne voit rien du Morvan : d'ailleurs l'automobiliste, qui est par définition - on n'ose pas dire : par essence - pressé, n'a que faire des montagnes et des pré-montagnes, il file vers son étape souvent lointaine.

En revanche, la voie du T.G.V., dans sa tirée qu'elle a voulue rectiligne, le frôle. Le voyageur s'en aperçoit surtout en hiver : avant cette contrée, il ne voit pas de neige, et après, il n'en voit plus.

La Nationale 6 flirte un peu, entre Avallon (89)* et Saulieu (21)*, avec les premières hauteurs, puis, confuse d'une telle attitude, elle s'enfuit dare-dare vers Arnay-le-Duc et Chalon-sur-Saône.

** Pour éviter une répétition fastidieuse du numéro de département après chaque commune, il convient de se reporter à l'index des noms de lieux page 167.*

A l'extrême nord-ouest, un petit village : Asquins.

A l'extrême sud-est, une grosse ville chargée d'histoire : Autun.

La ligne normale de chemin de fer Paris-Lyon passe encore plus à l'est, et sa seule rencontre avec les hauteurs se situe peu avant Dijon, avec le grand tunnel de Blaizy. Rien à voir donc avec le Morvan.

Au sud, la Nationale 81 relie Autun à Luzy et à Cercy-la-Tour, puis continue en direction de Decize et de Nevers. Et une voie ferrée S.N.C.F. suit sensiblement le même tracé.

A l'ouest, c'est d'Avallon et de Vézelay qu'il faut partir pour gagner, par des départementales, Clamecy, Corbigny et Saint-Honoré-les-Bains.

Quand aux canaux, bien sûr, ils ne se hasardent pas par là. Celui de Bourgogne coule sagement ses eaux de la Saône à l'Yonne, de Saint-Jean-de-Losne à Laroche - et celui du Nivernais joint la Loire à l'Yonne, de Decize à Auxerre.

Le massif est planté au beau milieu de la région Bourgogne, et il gêne. Les Nivernais, qui ne peuvent que difficilement rallier Dijon, n'hésitent pas à le dire. Et les Dijonnais, qui parlent toujours de la *«barrière du Morvan»*.

Quel est-il, ce Morvan? Et d'abord existe-t-il seulement? Posons-nous la question, comme se la posait Joseph Pasquet voici quelques décennies. N'est-il pas un pays de légende, une Atlantide?

Les géographes nous disent que c'est un éperon détaché du Plateau central et qu'il possède des sommets pouvant atteindre 900 mètres. Mais Claude Tillier, qui connaissait bien la région, puisqu'il était de Clamecy, ironisait à ce sujet :

«Les montagnes du Morvan ne sont pas des montagnes d'artistes. Ce sont de bonnes grosses collines bourgeoises, toutes simples, toutes rondes, toutes unies... Vous diriez de grands tas de terre qu'au jour de la création Dieu a fait brouetter là».

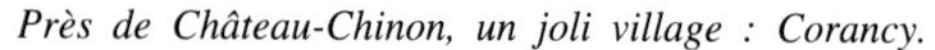

Près de Château-Chinon, un joli village : Corancy.

L'une des «portes» du Morvan : Avallon, où coule le Cousin.

Pour un enfant du pays, ce n'est pas très laudatif, mais ne nous y laissons pas prendre : Claude Tillier est un pamphlétaire, et ses commentaires sur le Morvan sont tantôt favorables tantôt moqueurs.

Plutôt que de se fier à lui, ii faut aller voir sur place.

Mais comment aborder? On tourne autour de ce Morvan ramassé sur lui-même, et on cherche le défaut de la cuirasse.

On peut, par exemple, pénétrer par les rivières. Au sud-est, depuis Autun, par le Ternin, affluent de l'Arroux, lequel va à la Loire. Au sud-ouest, par l'Aron, également affuent de la Loire. Au nord par le Cousin, la Cure ou l'Yonne. Après tout, c'est bien par l'Yonne - retenons ce nom, nous le retrouverons souvent - qu'au IXe siècle, les Normands sont arrivés et ont saccagé une partie du pays. Oh! ils ne sont pas allés très loin, puisqu'ils ont été arrêtés à Quarré-les-Tombes.

Le Morvan s'aborde aussi par ses *«portes»*, par ses *«villes-foires»*, où l'on venait - et où l'on vient encore - acheter et vendre. Ces localités de la périphérie lancent en effet, depuis le XIXe siècle, des routes à l'assaut de la citadelle. Mais combien y a-t-il de *«portes»*, de *«villes-foires»*? Les auteurs ne sont pas non plus d'accord là-dessus, et leur opinion varie en fonction de l'étendue qu'ils donnent du Morvan.

Le Parc naturel régional en donne neuf : Arnay-le-Duc, Autun, Avallon, Châtillon-en-Bazois, Etang-sur-Arroux, Liernais, Luzy, Moulins-Engilbert, Saint-Honoré-les-Bains. On peut aussi y ajouter Saulieu, bien que déjà à l'intérieur du périmètre du Parc, et même les plus lointaines localités de Corbigny et de Clamecy.

Joseph Bruley a écrit trois volumes sur sa région natale, sous le titre générique *«Le Morvan coeur de la France»*. La formule est assez exacte, car la contrée, qui a effectivement la forme d'un coeur, se trouve à peu près au centre gauche d'une France dont la carte nous fait face. Mais si l'on voulait situer le coeur du Morvan, où faudrait-il le placer?

A Bibracte, haut lieu historique où flotte encore le souvenir des passages successifs de Vercingétorix et de César et où,

Nuars, près de Tannay. Quelques maisons sont ramassées à proximité de l'église, et, tout autour, les grands bois veillent sur l'agglomération paisible.

Au sommet du mont Beuvray, un souvenir de l'ancienne Bibracte : la Wivre. Du haut de cette roche, Vercingétorix aurait harangué les troupes gauloises en lutte contre les Romains.

L'autocollant du Parc Naturel Régional du Morvan représente un cheval au galop, motif d'une ancienne monnaie éduenne.

sous la terre, dorment les vestiges d'un passé que l'on va bientôt ressusciter?

A Château-Chinon, qui est l'agglomération la plus importante de l'intérieur? Elle possède deux musées, elle vit un jour l'un de ses maires devenir président de la République, et elle dispose d'une station météo dont entendent parler, chaque jour vers 19 heures 30, les auditeurs de France 3 Bourgogne.

A Saint-Brisson, qui depuis 1975 abrite le siège du Parc naturel régional?

Au lac des Settons, qui demeure le site le plus visité - un sondage réalisé ces dernières années l'atteste - le lieu le plus connu et le plus représentatif du Morvan pour les personnes domiciliées dans les régions avoisinantes?

A Dun-les-Places, où, au XIXe siècle, l'abbé Baudiau écrivit les trois volumes de son «*Morvand*»? Dun fut l'un des pôles de la Résistance pendant la guerre de 1939-1945. Surnommé, à cause de ses 27 fusillés, *«l'Oradour nivernais»*, le village se vit, en 1948, attribuer la croix de guerre.

A Ouroux, qui, des semaines avant la Libération, alors que Nevers et bon nombre de points du pays étaient encore occupés, devint le chef-lieu provisoire du département de la Nièvre?

A Bazoches, où habita et où est enterré Vauban, le grand homme de guerre de Louis XIV?

A Saint-Léger-Vauban, son village natal, situé à une trentaine de kilomètre plus à l'est?

A La-Pierre-qui-Vire, hameau de Saint-Léger, où se trouve le siège d'une grande maison d'édition spécialisée dans les ouvrages d'art roman?

A Ménessaire, qui constitue une curieuse enclave administrative de la Côte-d'Or entre la Nièvre et la Saône-et-Loire?

A Autun, la plus importante des agglomérations, riche d'un prestigieux passé et qui, en 1790, aurait bien voulu devenir chef-lieu d'un éventuel département du Morvan?

A Alligny où, au siècle dernier, résida si longtemps Eugène de Chambure, auteur du premier glossaire du parler morvandiau?

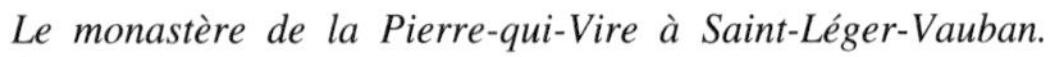

Le monastère de la Pierre-qui-Vire à Saint-Léger-Vauban.

Maison morvandelle typique de la périphérie du Morvan avec son toit en tuiles bourguignonne, près de Juillenay.

La maison natale du professeur Mathé à Sermages.

On a le choix entre une douzaine de lieux qui, notons-le au passage, se situent dans les quatre départements sur lesquels s'étend le Morvan, mais plus fréquemment dans celui de la Nièvre.

Mais cela ne répond pas à notre question. Le Morvan existe-t-il? Et a-t-il jamais existé?

Pas en tant que région véritable, en tout cas : il n'y a jamais eu, dans l'Histoire, de duché ni de comté du Morvan. Au contraire, il a toujours été divisé.

D'abord, dans les tout débuts du Moyen Age, entre le royaume franc et le royaume burgonde. Ensuite entre les duchés du Nivernais et de Bourgogne - avec, complication supplémentaire, la terre de Château-Chinon qui appartenait en propre au roi de France. Du point de vue religieux, le Morvan se partageait entre les diocèses de Nevers et d'Autun.

On peut, à ce sujet, relever quelques anectotes amusantes. Par exemple, à Dun, c'était la Cure qui faisait la frontière. Or, en Bourgogne, pays de vin, il n'existait pas d'impôt sur cette boisson. En revanche, il y en avait un dans le Nivernais. Le dimanche, les habitants de la rive gauche traversaient la Cure et allaient boire chez leurs voisins, où les rixes étaient, paraît-il, assez fréquentes.

Le Morvan est, aujourd'hui comme hier, divisé par une ligne de géographie physique : celle du partage des eaux entre la Seine et la Loire. Cette ligne passe à proximité de Château-Chinon.

Les eaux du Morvan pourraient presque aller aussi vers la Saône : le *«toit du monde occidental»* dont parlait Henri Vincenot n'est pas si loin, une trentaine de kilomètres à peine de Saulieu. Vincenot aimait à répéter les paroles de son

Un lavoir sur la Cure à Voutenay.

grand-père : *«Si vous laissez tomber douze gouttes ici, quatre iront à l'Armançon, l'Yonne, la Seine et la Manche; quatre iront à l'Arroux, la Loire et l'Atlantique; et quatre à l'Ouche, la Saône, le Rhône et la Méditerranée».*

Laissons de côté la Méditerranée, et constatons seulement que les eaux du Morvan vont à la Manche - deux tiers - et à l'Atlantique - un tiers.

Quand la Constituante décida de procéder à une nouvelle division administrative de la France, les Autunois pensèrent à un département du Morvan, mais le refus vint des marchands de Château-Chinon qui, par l'Yonne, ravitaillaient Paris en bois de chauffage et dont les intérêts économiques étaient orientés vers le nord. La ville de Nevers combattit également ce projet : elle craignait de devenir une capitale déchue, et elle insista pour que soit conservé, à peu près intact, dans le nouveau département de la Nièvre, le territoire nivernais, avec sa partie morvandelle. La Côte-d'Or, la Saône-et-Loire et l'Yonne ramassèrent elles aussi un morceau du Morvan, et celui-ci redevint vite un parent pauvre, souvent ignoré, ou tout au moins négligé, par Nevers, Dijon, Mâcon et Auxerre, lesquelles régnaient en préfectures suzeraines.

Le salut du Morvan viendra peut-être d'une décision du législateur des années 1960 : la création des régions françaises. Car les quatre départements se trouvèrent regroupés au sein de la Bourgogne.

Cette réunion ne se passa pas toutefois sans difficultés. Si Côte-d'Or, Yonne et Saône-et-Loire - encore que, pour ce dernier département, il y eut quelques grincements de dents dans le sud, traditionnellement attaché à Lyon - acceptèrent la Bourgogne à cause des souvenirs historiques, en revanche la Nièvre rechigna : les Nivernais disaient ne posséder aucun lien avec Dijon, et leur attitude n'était nullement illogique.

Le Conseil général était fort divisé sur ce point, et la moitié seulement des élus étaient favorables au rattachement à la Bourgogne, l'autre moitié préférant voir la Nièvre aller à la région du Centre.

Ce fut un Morvandiau - sinon de naissance, du moins d'adoption - le conseiller général du canton de Montsauche, qui fit basculer l'opinion en faveur de la Bourgogne. Mais sans doute François Mitterrand était-il aussi influencé par son amour pour la Saône-et-Loire, pour Solutré, Cluny et Cormatin.

Glux-en-Glenne se trouve entre le mont Beuvray et le mont Préneley, où l'Yonne prend sa source.

Le Morvan existe-t-il? Jusqu'au XIXe siècle, on ne le connaissait pas, car on ne pouvait pas le pénétrer : les voies de communication s'arrêtaient à ses pieds et ne l'innervaient pas. Le pourtour était jalonné de points terminus.

On conçoit que Talleyrand, lorsqu'il arriva en carrosse à Autun en mars 1789, ait pu se montrer fort courroucé : il était fourbu, car il avait eu les pires difficultés pour rejoindre la ville où il venait d'être nommé évêque. A la même époque, le grand voyageur anglais Arthur Young parlait lui aussi des routes difficiles de la région d'Autun.

Encore la ville d'Autun se trouve-t-elle située sur le bord du Morvan, et y avait-il là quelques chemins. A l'intérieur, il n'y avait rien, et Joseph Bruley, dans l'un de ses ouvrages, cite le témoignage de Cluni de Maltèse, en l'an 1828.

Celui-ci, de son vrai nom Saint-Elme Leduc, était inspecteur des Enfants trouvés et orphelins, et il lui était extrêmement malaisé de se déplacer à cheval dans le Morvan où l'administration des hôpitaux et hospices civils de la ville de Paris plaçait, dans les familles, un certain nombre de ses pupilles. Et il écrivait :

«Si l'on jette les yeux sur la carte routière de la France, on verra que les géographes traitent le Morvand - le mot, à l'époque, s'écrivait ainsi - *à peu près comme le Sahara. Ils le laissent en blanc sur le papier. Cela ne veut pas dire cependant que ce pays soit désert, mais on indique ainsi qu'il est inabordable faute de routes tracées».*

Claude Tillier a laissé des pages fort poétiques sur les chemins du Morvan, qu'il disait *«impraticables mais délicieux».* Impraticables car ils étaient bien souvent le lit d'un ruisselet qui se muait brusquement en grande flaque barrant le passage - mais délicieux car y régnaient des arbres portant divers étages de verdure, et le ruisseau se trouvait, à certains endroits, envahi des mille fleurs bleues des myosotis.

Point de pont, bien entendu, pour passer les cours d'eau : quelques arbres à peine équarris étaient jetés sur les rivières, et, pour les ruisseaux, de grosses pierres posées çà et là suffisaient.

Il faut ajouter, pour être complet, que, lorsque les premières routes furent percées, au milieu du XIXe siècle, les agents voyers - ancêtres de nos conducteurs de travaux de l'Equipement - et les chefs cantonniers furent parfois malmenés par une popu-

Le théâtre romain d'Autun était le plus vaste de toute la Gaule.

Un intérieur morvandiau au musée Pompon de Saulieu.

lation un peu soupçonneuse qui ne comprenait pas que l'on vienne briser sa solitude.

Il y avait pourtant eu, au temps des Gaulois, au temps des Romains, des routes traversant le Morvan pour relier, par la voie la plus courte, Lutèce à Lugdunum. Mais, sans doute à partir du IIIe siècle, elles s'effacèrent devant la forêt.

Un peu plus tard, au VIe siècle, quelqu'un s'employa à remettre certaines routes en état. Un personnage historique connu pour d'autres raisons moins louables et que l'on ne s'attend guère à rencontrer là : Brunehaut, la reine mérovingienne rivale de Frédégonde. Elle fonda différentes communautés religieuses, avant d'être, à l'âge de 79 ans, capturée par les soldats du fils de Frédégonde et suppliciée, attachée à la queue d'un cheval.

Brunehaut disparue, les routes ne furent pas entretenues et, pendant des siècles, le Morvan vécut à nouveau replié sur lui-même.

Question à ne pas éluder : le Morvan existe-t-il au point de vue culturel? Dans ses bâtiments, ses monuments, ses églises? Dans ses écrivains?

Les fermes, les maisons, ont un cachet particulier, ou plutôt elles l'avaient, grâce à leurs toits de chaume, mais aujourd'hui on ne trouve pour ainsi dire plus de chaumières. Les traditions, le folklore, le patois demeurent vivaces, et sont même remis en honneur en cette fin du XXe siècle où l'on cherche à revenir, dans une certaine mesure, aux sources et aux racines.

Néanmoins, on est frappé de voir que le vrai Morvan, le noyau central, ne comporte que peu de belles églises : celles qui existaient jusqu'au XIXe siècle étaient en bois, et un certain nombre ont été détruites par des incendies. Les églises des villages, en pierres de granit sombre, bâties pour les remplacer, n'ont pas grand intérêt.

En revanche, celles que l'on visite, celles qui font l'admiration des touristes de passage, celles qui, dans les guides, sont marquées de flatteuses étoiles, ce sont Clamecy, Avallon - et Vézelay, et Saint-Père - Saulieu, et Autun : les *«portes»*.

Idem pour les musées. Qu'y a-t-il à l'intérieur, à part Château-Chinon et Saint-Brisson? Là encore, la liste est brève, et répétitive : Clamecy, Avallon, Vézelay, Saulieu, Autun. Les *«portes»*, toujours.

Et les chantres? Qui a honoré, qui a magnifié le Morvan? Beaucoup de poètes et d'écrivains certes. Mais combien de ces laudateurs y sont-ils nés?

L'auteur de l'hymne régional, Maurice Bouchor, n'est pas le moins du monde Morvandiau. Il fut un jour, en 1903 - c'est encore Joseph Bruley, citant Paul Delarue, qui nous rapporte l'anecdote - invité à un banquet. L'un des assistants le pria, lui qui avait écrit des poèmes sur d'autres régions de France, d'en faire aussi un sur le Morvan. Il lui fournit quelques explications, le bois envoyé par eau à Paris, les nourrices qui allaient y porter leur lait, et le refus de toute dictature, en insistant sur la résistance opposée au coup d'Etat de Louis-Napoléon Bonaparte en 1851. Bouchor nota tout cela et, peu après, il produisait La Morvandelle.

LA MORVANDELLE

Allons les Morvandiaux
Chantons la Morvandelle!
Chantons nos claires eaux
Et la forêt si belle,
La truite aux bonds légers dans les roseaux fleuris
Et notre bois flottant qui vogue vers Paris.

Il souffle un âpre vent
Parmi nos solitudes,
On dit que le Morvan
Est un pays bien rude,
Mais s'il est pauvre et fier, il nous plaît mieux ainsi,
Et qui ne l'aime pas n'est certes point d'ici.

On veut la liberté
Dans nos montagnes noires,
Nos pères ont lutté
Pour elle et non sans gloire,
Rêveurs de coup d'Etat, César de quatre sous,
Les braves Morvandiaux se moquent bien de vous.

Pourtant nous subissons
Un reste de servage
Pourquoi ces nourrissons
Privés du cher breuvage?
Gardons, ô mes amis, nos femmes près de nous,
Nos filles et nos fils ont droit à leurs nounous.

Allons les Morvandiaux
Chantons la Morvandelle!
Les bois, les prés, les eaux,
Aimés d'un coeur fidèle,
Nos bûches qui s'en vont, Paris s'en chauffera
Nos gars et leurs mamans, Paris s'en passera.

Maurice BOUCHOR

«Un après-midi de dimanche». Tableau du peintre impressioniste Louis Charlot, né à Sommant, près d'Autun, en 1878, mort à Uchon en 1951. Ce peintre morvandiau fit parler du Morvan lorsqu'il participait aux nombreux salons, dont l'exposition universelle de 1900.

Parmi les vrais Morvandiaux, nés au centre du pays, il faut citer en premier lieu celui qui est dans tous les livres d'Histoire et dans tous les dictionnaires : Vauban, qui a vu le jour à Saint-Léger. Et quelques autres, peu nombreux : l'abbé Baudiau né à Planchez; le poète Joseph Lagrange à Saint-Hilaire; l'écrivain Louis de Courmont à Blismes; Henri Bachelin, prix Fémina 1918, à Lormes; le peintre Louis Charlot à Sommant; et le professeur Georges Mathé, l'éminent cancérologue, à Sermages.

Les autres? Ils sont nés sur les bordures : Claude Tillier et Romain Rolland à Clamecy; l'historien Courtépée et le sculpteur Pompon à Saulieu; Henri Perruchot, le premier président de l'Académie du Morvan, plus loin encore, à Montceau-les-Mines, mais il est vrai, d'ascendance morvandelle. Et Maryse Martin, l'actrice, qui reçut le titre d'*«ambassadrice du Morvan»* et célébra celui-ci dans la France entière, était originaire d'Amazy, village proche de Clamecy.

Paul Cazin, que l'on appelait *«le bienheureux d'Autun»*, avait vu le jour à Montpellier et avait vécu assez longtemps à Paray-le-Monial. Gautron du Coudray, le député Dupin et Achille Millien - qui composa tant de sonnets sur le Morvan - étaient de la région de Nevers. Chambure, auteur du glossaire, était natif de Paris, et Jules Renard de la Mayenne, mais par hasard, avait-il l'habitude de dire.

Comment expliquer ces deux choses, comment concilier ces deux données : le peu de célébrités produites par le Morvan - et le grand nombre de ceux qui s'y sont intéressés? Par le fait probablement que le Morvan, peu peuplé, attire. Fascine. Et retient.

(Pages 24-25) Le lac des Settons, site bien connu des touristes et des amateurs de jeux et sports nautiques.

POUSSONS PLUS LOIN

Paysage traditionnel du Morvan : une petite bourgade au bord d'un lac ou d'un étang. Lormes est l'une des communes les plus étendues.

Pendant le premier tiers de ce siècle, deux tacots drainaient le Morvan d'est en ouest. La première ligne reliait Saulieu à Corbigny par Montsauche. La seconde se situait plus au sud, dans le Haut-Morvan, et reliait Autun à Château-Chinon par Anost.

C'était un chemin de fer à voie étroite, et le train était mixte : deux wagons de voyageurs et autant de wagons de marchandises - le plus souvent du bois, parfois du bétail. Il avançait à une vitesse de 12 à 15 kilomètres à l'heure, il crachait une magnifique fumée noire, et il était délicieusement poussif et haletant.

Les voyageurs étaient installés sur deux lignes horizontales se faisant face; en hiver, des bouillottes métalliques rectangulaires étaient disposées entre ces deux lignes. Une partie de l'un de ces wagons - un quart de la longueur - peinte en rouge, offrait un luxe très relatif de première classe.

L'été, randonnée à pied... ou en voiture à cheval.

Les nombreux boeufs blancs charolais peuplent aujourd'hui les embouches, comme ici à la Celle-en-Morvan.

Naguère, un petit tacot poussif assurait deux fois par jour la liaison entre Autun et Château-Chinon. Les citadins irrévérencieux l'appelaient «l'express du Morvan». Fumant et essoufflé, il lui arrivait d'atteindre le trente à l'heure - dans les descentes naturellement. Il quittait Autun en traversant l'Arroux sur un pont qui tressaillait de toute son armature métallique. Il suivait sagement la route pendant douze ou quinze kilomètres, puis l'abandonnait sans motif pour aller musarder dans une avoine, longeait un bois plein d'ombre et de gazouillis, retrouvait la route, la quittait de nouveau pour aller se tortiller dans un champ de pommes de terre où il se donnait des allures de conquérant d'un monde nouveau. Généralement, il freinait et s'arrêtait juste comme il commençait à prendre de la vitesse. Quelquefois, c'était devant une petite gare, d'autres fois devant un simple poteau de fonte fiché dans le talus, et sur lequel il était écrit que «les trains ne s'arrêtent que pour prendre les voyageurs qui, rapprochés du poteau d'arrêt, font visiblement comprendre au mécanicien leur intention de monter.» Tout un poème!

Dans le tragique conflit qui oppose le rail à la route, le petit tacot d'Autun à Château-Chinon fut touché à mort... Un beau jour, ces messieurs du Conseil général, réunis à Mâcon, le jugèrent indigne de transporter des voyageurs, mais le conservèrent pour charrier du bois, des matériaux et des marchandises lourdes. Il fut regretté par quelques-uns, amis du pittoresque et, peut-être sans le savoir, des traditions. Mais la plupart de ses anciens usagers le dédaignèrent dès qu'apparurent de beaux autobus bleus, avec des coussins de moleskine couleur de crème au chocolat plus confortables que les banquettes du tacot et qui, maintenant sillonnent les routes au grand effroi des bourricots attelés aux brancards des voiturettes.

Marcel BARBOTTE

Château-Chinon : la porte Notre-Dame.

Autun : la fontaine Saint-Lazare.

Une nature préservée, où les digitales pourpres croissent à l'envi et, où, pêle-mêle, les rochers d'Uchon dessinent des paysages fantastiques.

A la différence du petit train du Vivarais et d'un certain nombre d'autres qui, un peu partout en France, restituent aux touristes un peu de l'atmosphère d'autrefois, le tacot du Morvan n'a pas été conservé, et d'aucuns vous diront que c'est bien dommage. Car, avec lui, on pouvait entrer de plain-pied dans le quotidien, on le prenait pour ainsi dire à bras-le-corps.

Aujourd'hui, on peut encore, bien sûr, appréhender le Morvan, le labourer en long, en large, en travers, en diagonale, mais il faut utiliser d'autres moyens de locomotion. On le sillonne à pied, à cheval, en voiture. Et même en voiture à cheval. Et aussi à vélo et en bateau sur le lac des Settons ou l'un des autres lacs. On passe et repasse dans les villages et les hameaux, on parle avec les gens. On les retrouve quelques jours, quelques semaines ou quelques mois plus tard, et on reparle encore. C'est ainsi que l'on peut progressivement pénétrer l'âme morvandelle et comprendre le pays.

Un pays âpre, sauvage, bosselé, rude : tout le monde vous le dira, même ceux qui n'y sont jamais allés, tant est forte la légende qui s'y attache.

George Sand le décrivait comme le pays des ours, des brigands et des loups. Et, dans une Encyclopédie de la fin du siècle dernier, un certain A.M. Berthelot analysait les habitants en une seule phrase. Une phrase comportant des détails assez curieux, et peu amènes : «*Les Morvandiaux ont en moyenne 1,65 mètre, les chevaux châtains, les yeux gris ou bruns, le type brachycéphale, les pommettes accentuées, des habitudes de paresse, de routine et de maraude...*». Encore un qui n'avait sans doute jamais mis les pieds dans le Morvan et qui se plaisait à colporter des ragots!

Ces ragots, ceux qui se penchent sur l'étude du Morvan ont à coeur de les infirmer.

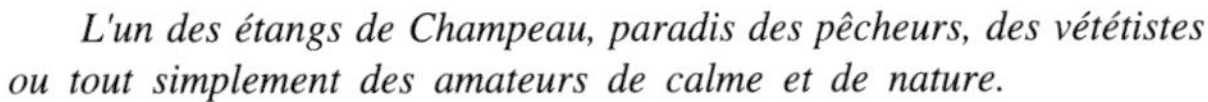

L'un des étangs de Champeau, paradis des pêcheurs, des vététistes ou tout simplement des amateurs de calme et de nature.

On a vu que les limites qu'on peut lui attribuer sont imprécises et varient d'un auteur à l'autre, d'un géographe à l'autre, d'un touriste à l'autre. Il faut quand même se décider.

Evitons tout d'abord de tomber dans le piège du trop petit et de nous en tenir au tracé des 82 communes incluses dans le Parc naturel régional - les huits dernières, celles de 1993, étant en cours d'adhésion. Le Parc regroupe le centre, le noyau essentiel. Mais le Morvan va plus loin, jusqu'à ce que nous avons appelé les *«villes-foires»*. Car au nord-ouest, Clamecy a joué un grand rôle dans le flottage du bois , et, au sud-est, la contrée d'Etang-sur-Arroux a conservé, avec les roches granitiques d'Uchon, un caractère bien morvandiau. Nous étudierons donc - pourquoi pas? - un assez large Morvan.

A vol d'oiseau, il y a environ 90 kilomètres entre Avallon au nord et Luzy au sud. Pour les transversales, on peut compter environ 50 kilomètres entre Corbigny et Saulieu, et 40 entre Moulins-Engilbert et Etang-sur-Arroux.

C'est au sud-est que se situent les sommets. Le plus élevé est le Haut-Folin ou Bois-du-Roi à Saint-Prix, qui culmine à 901 mètres. Le mont Préneley (855 mètres), où l'Yonne prend sa source, se trouve sur le territoire de Glux-en-Glenne. Le Bas-Folin, également à Saint-Prix , atteint 831 mètres, et l'historique mont Beuvray, à cheval sur deux départements, s'élève à 820 mètres.

Tout autour du Morvan, ce sont des dépressions : la Terre-Plaine au nord, le Bazois à l'ouest, l'Auxois à l'est, et le bassin d'Autun au sud-est.

On s'est souvent interrogé sur l'origine du mot Morvan. Et plusieurs interprétations ont été données.

On a dit que Morvan venait de deux mots celtes, l'un signifiant *«montagne»*, et l'autre *«noir»*. Donc, *«montagnes noires»*. L'adjectif pourrait être pris soit dans son sens premier, à cause des forêts - soit parce que le pays était, à une certaine

L'une des tours Vauban, souvenir du grand constructeur de citadelles.

époque, inhospitalier : n'existe-t-il pas une origine similaire dans le nom de la mer Noire, jugée hostile par les premiers Romains qui la virent et eurent à souffrir de ses tempêtes?

Autre explication, également empruntée à la langue celte : l'un des mots pourrait signifier, non pas *«noir»*, mais *«mer»*, et la contrée serait, avec ses forêts agitées par le vent, une sorte de mer de montagnes.

Demeurons cependant prudents dans les interprétations et laissons les linguistes opposer leurs arguments. Ce n'est, finalement, pas tellement important.

L'une des caractéristiques du pays, c'est la dispersion des hameaux et des écarts : on en compte, par exemple, une trentaine pour la seule commune d'Anost, fort étendue il est vrai. Cela tient au fait que l'eau étant partout, l'habitat a pu s'installer partout.

Il est amusant de relever la superficie de certaines communes. La plus étendue est Ouroux, avec 6 056 hectares, suivie par Arleuf, 5 977 hectares; Brassy, 5 527 hectares; Anost, 5 191 hectares; Lormes, 5 171 hectares; La Roche-en-Brenil, 5 085 hectares; et Villapourçon, 5 043 hectares. Mais les chiffres ne parlent guère s'ils ne sont pas relativisés. Il faut alors se

En bordure du Morvan, Clamecy, dont l'église gothique St-Martin émerge au-dessus des maisons, et Avallon, ceinturée de ses remparts.

souvenir que les Etats souverains que sont le Vatican, Monaco et Saint-Marin ont respectivement une surface de 44 hectares, 161 hectares et 6 400 hectares. En d'autres termes, ces sept communes morvandelles sont chacune à peine plus petites que toute la principauté de Saint-Marin - laquelle abrite neuf communes - et qu'elles font 30 à 40 fois Monaco, et 110 à 140 fois le territoire du Vatican.

Mais elles sont vraiment, malgré leur étendue, peu peuplées. La ville la plus importante de l'intérieur, Château-Chinon, regroupe un peu plus de 3 600 habitants. Encore faut-il préciser que, du point de vue administratif, il existe deux communes, Château-Chinon-Ville et Château-Chinon-Campagne, et que la première compte 2 900 habitants. Parmi les sept citées plus haut, la plus peuplée, Ouroux, rassemble à peine 1 000 âmes.

On comprend que, dans un article paru en janvier 1991 dans *La Nouvelle revue française*, Julien Gracq ait manifesté sa surprise d'avoir rencontré aussi peu de monde dans la longue traversée de cette coupole feuillue par Montsauche et Lormes en direction de Clamecy. Il a à peine croisé une ou deux voitures. C'est peut-être vrai à certaines époques de l'année, pas l'été en tout cas. Il avouait n'avoir vu ni un charroi, ni un passant, *«ni même un bruit d'eaux vives»*, ce qui est assez extraordinaire dans cette région aux ruisseaux multiples. Il notait la *«pesante, l'immobile respiration chlorophyllienne qui opprime les poumons au lieu de les dilater»* et *«un sentiment de stagnation et de confinement»*.

Jacques Lacarrière, lui, a vu dans le Morvan trois composantes : le granit, les fougères, les digitales. Et il pense que, s'il lui fallait aujourd'hui créer un blason pour le Morvan, il choisirait ces armes-là et leur couleur : noir, vert et pourpre.

C'est une solution. Celle d'un écrivain renommé qui est en même temps poète. Soyons, nous, plus prosaïques, et tablons seulement sur les trois composantes physiques : le bois, la pierre et l'eau. Que l'on peut écrire avec les majuscules du respect : Bois, Pierre, Eau. Les divinités celtes n'étaient-elles pas attachées aux arbres, aux roches et aux fontaines ?

Le Morvan est surtout un pays de traditions. Dans son moulin de la Presle, à Planchez, Albert Martin perpétue la tradition de la meunerie à eau, mais ne dédaigne pas d'enfourner le pain pour les fêtes.

LE BOIS, LA PIERRE ET L'EAU

La forêt morvandelle, célèbre pour ses affleurements de granit et ses champignons.

Le Bois : deux ou trois chiffres, rapides, mais nécessaires, pour situer le problème, pour planter - c'est le cas de le dire - le décor. La forêt occupe environ 60 % du territoire morvandiau, et en certains endroits, sur certaines communes, ce pourcentage passe à 70 %, voire davantage : les vastes espaces boisés sont troués de petites zones agricoles où sont nés des hameaux.

Il y a quelques forêts domaniales, dont les principales sont celles au Duc, du Breuil, de Saint-Prix, de Saulieu, mais elles ne couvrent guère au total que 5 % des parcelles boisées.

Quand on circule en voiture, l'envie vous prend parfois de quitter la route et d'emprunter un chemin forestier : celui-ci peut comporter quelques nids de poule fâcheux pour les amortisseurs, mais il nous fait pénétrer au coeur de cette cathédrale végétale, sombre et toujours un peu mystérieuse. Même lorsque l'on se contente de suivre sagement la départementale, il arrive qu'on se trouve, presque nez à nez, avec un animal qui s'enfuit gracieusement à la vue de la voiture : c'est un chevreuil. Si l'on est sur le territoire de la commune d'Anost, on peut tomber sur l'enclos à sangliers; pourtant, derrière les grillages de ce domaine quand même assez vaste, on ne voit pas toujours les animaux annoncés par les pancartes. Ailleurs, dans une autre forêt, une autre pancarte : *«Ranch-crêperie - Repas à la ferme»*. Pourquoi refuser d'entrer?

Les arbres, dressés comme pour la parade s'ils sont résineux, ou ramassés dans un délicieux fouillis s'ils sont feuillus, sont les vrais maîtres du sol morvandiau. Mais ils ont parfois à subir les attaques de l'homme, et fait bien mal alors le bruit de ce massacre à la tronçonneuse. Plus loin, des arbres récemment abattus, numérotés en rouge, sont prêts à être débités. D'autres bois, entassés sur le bord même de la route, bien équarris, attendent qu'on vienne les chercher avec des tracteurs et des remorques, qu'on les emmène vers telle ou telle usine - ou plus simplement vers les habitations où, dans les cheminées, ils donneront le spectacle éternel et toujours renouvelé d'une consomption palpitante et colorée.

A côté d'arbres bien vivants, du bois mort, soigneusement débité, prêt à quitter la forêt natale.

Promeneur de la forêt, j'ai mes chemins secrets où je ne rejoins que moi-même, mes sentiers de l'imaginaire et de la mémoire. Car la forêt me touche moins par ses essences que par une possession subtile qui annonce déjà la paix ou le bonheur. Elle m'aspire, me porte plus que je ne la parcours. Elle est rumeur et silence, vie endormie ou mouvement quand les vagues du vent la creusent comme une mer. La forêt, en Morvan, définit à la fois un paysage et un état d'âme. Poussant jusqu'à la porte des villages sa lourde crinière de feuillages, elle scelle l'accord millénaire entre la terre et les hommes.

Pour la surprendre dans son opulence, comme les oiseaux, il faut la contempler du haut de ces observatoires que l'on doit au génie des hommes ou à la main de Dieu, clocher de la Madeleine, flèche de Saint-Lazare, calvaire de Château-Chinon, Beuvray, Haut-Folin. A perte de vue, coupée seulement par la cicatrice des routes, les clairières des villages et des fermes, la forêt gauloise palpite, s'ébroue, escalade les pentes au pas de charge, plonge dans les vallées pour renaître, infatigable, à fleur de ciel. En ces jours d'avril, la lumière exalte son printemps et monte une gamme sublime de verts sur le bleu marin du ciel.

Jean SEVERIN

Une tache fauve dans la verdure : un chevreuil.

Le départ pour la dernière étape.

Le bois, la pierre et l'eau : le calme, et l'harmonie.

Cette fois, les sangliers d'Anost se sont laissé surprendre.

Il y a là, aussi, des plantes de toutes sortes : fougères, genêts, bruyères, digitales - du vert, du jaune, du mauve, du rose. Et des champignons : on dit qu'il y en a plus de deux cents espèces. Et des myrtilles : le village de Glux-en-Glenne, par exemple, organise chaque année début août une fête à l'occasion de leur cueillette.

Mais c'est, bien sûr, dans ses profondeurs mêmes que l'immense sylve morvandelle livre le mieux sa véritable poésie. Les cinq sens sont concernés, et surtout l'odorat : il existe une odeur de la forêt. Et puis le silence, un silence que l'on entend, qui prend, là, une dimension particulière, car, là, l'homme se retrouve dans une ambiance druidique et celtique, et même bien antérieure, une ambiance de commencement du monde.

Rejoignons le siècle et ses matérielles préoccupations économiques. Un problème se pose depuis quelques décennies, forme nouvelle de la querelle des anciens et des modernes. Les vieux arbres, comme les hêtres qui triomphent encore au mont Beuvray, sont en train de céder une partie du terrain à de nouveaux arrivants : les résineux. Jadis, le Morvan était le domaine des hêtres, chênes, bouleaux, charmes, châtaigniers. Maintenant, le paysage est quelque peu modifié, et les amoureux du passé, les traditionalistes s'attristent ou se révoltent.

C'est vers 1850 que, dans la forêt domaniale de Saint-Prix, apparurent, sans doute à titre expérimental, les premiers épicéas. La poussée fut plus forte vers 1925-1930 et surtout après 1945.

Et cela en raison d'une notion qui est aujourd'hui érigée en dogme : celle de rentabilité. Quelques chiffres encore, pour illustrer le problème : la révolution des hêtres est de 120 ans, celle des épicéas de 70 à 80 ans, et celle des pins douglas de 50 à 60 ans. Les propriétaires ont vite fait le calcul, et en ont tiré les conclusions qui s'imposaient.

Si bien qu'aujourd'hui 75 % seulement de la forêt est encore en feuillus, mais les résineux, peu à peu, progressent.

On reproche à ces derniers d'acidifier le sol, ou, pour employer un mot barbare mais figurant en bonne place dans les dictionnaires modernes, de le podzoliser (*«podzol»*, en russe, signifie *«cendreux»*). De plus, avec les résineux, les risques d'incendie sont plus grands, et surtout, peut-être, l'impression n'est plus la même, elle est, si l'on peut dire, moins pure dans un bois d'épicéas que dans un bois de hêtres : il y a moins de mousse, moins de champignons, moins d'humus, et aussi moins d'oiseaux. Ajoutons que les résineux ne se dépouillent pas l'hiver et ne donnent pas, comme les autres arbres, l'impression de participer à la renaissance du printemps.

A quoi sert le bois? Au chauffage d'abord - il a chauffé Paris pendant des siècles - mais aussi à la charpente, à la fabrication des outils et des meubles. Combien de millions de paires de sabots les hêtres du Morvan ont-ils permis de faire au cours des siècles, de ces sabots avec une pointe au bout, qui assurait le décrottage de la semelle quand elle retenait trop de neige ou de terre?

Le bois a servi aussi à la fabrication des traverses de chemins de fer, des poteaux télégraphiques, des étais de mine pour Montceau - quand Montceau avait encore des mines.

Aujourd'hui, le bois est toujours utilisé pour le chauffage, mais il l'est aussi pour les meubles. Et, depuis 1950, les épicéas de dix ans, baptisés sapins de Noël, sont expédiés dans toute la France et hors de France.

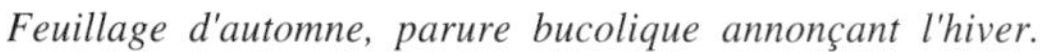

Feuillage d'automne, parure bucolique annonçant l'hiver.

La Pierre : le Morvan est le seul endroit de Bourgogne où la Pierre affleure vraiment. Visible ou invisible, sa majesté le Granit - qu'en géologie on orthographie plutôt Granite - règne partout, et on le retrouve dans les maisons qui dressent leur masse contre le vent et luttent encore contre la froidure des hivers par la rareté des ouvertures qu'elles s'autorisent.

On évoque la Bretagne, les Highlands d'Ecosse, mais aussi, plus simplement, la Gaule. On parle toujours du Morvan comme d'un pays celtique, gaulois, éduen, druidique. On a même, semble-t-il, été un peu loin dans l'assimilation, et on est allé jusqu'à baptiser menhirs et dolmens des rocs dont les formes bizarres étaient dues à la seule érosion : ainsi, ce que l'on appelle le dolmen Chevresse, près de Saint-Brisson, n'en est pas un. Il n'existe qu'un seul mégalithe dans toute la région : celui de Pierre-Pointe, sur la commune de Sussey, près de Bard-le-Régulier.

Les rochers étranges sont l'une des curiosités du Morvan. On s'en rend compte dès l'abord, quand on vient du sud-est, et que l'on voit l'amoncellement sauvage, le chaos granitique étalé à Dettey et à Uchon. A Dettey, l'un des rochers rappelle - et cela depuis les temps géologiques... - le profil de Napoléon. A Uchon, la Pierre-qui-croule est un bloc sphérique d'une vingtaine de tonnes qui oscille légèrement. Autrefois, disait-on - mais que ne disait-on pas dans le Morvan et dans ses abords? - les maris y amenaient leur épouse pour faire tester, par le nombre d'oscillations, leur fidélité. Quant à la Griffe-du-diable, elle a une autre légende : lors de la construction, relativement récente - XVIIe siècle - du pont de Toulon-sur-Arroux, l'entrepreneur s'aperçut qu'il lui manquait une pierre pour finir son ouvrage à la date prévue. Il s'adressa au diable, qui accourut et lui fit un marché : il lui apporterait, depuis Uchon, une pierre, mais, en échange, il lui demandait la main de sa fille.

Les pierres du faux «dolmen Chevresse» n'ont pas été agencées par les hommes d'autrefois, mais sont la conséquence d'une multiséculaire érosion.

A Uchon, le diable aurait laissé sa griffe. De quoi alimenter bien des légendes.

Curieuse, un peu mystérieuse même, la Pierre de Couhard à Autun, pyramide dégradée située jadis au coeur d'une des nécropoles de la ville.

Accord conclu. Mais la fille, plus matoise que le diable, se cacha, et le diable, furieux, s'enfuit en laissant tomber la pierre, non sans y avoir profondément imprimé ses griffes.

A Autun, c'est la Pierre de Couhard qui attire l'attention. On s'est demandé longtemps son origine et sa signification, mais maintenant on pense qu'il s'agissait d'un monument funéraire, peut-être celui d'un personnage illustre.

Beaucoup plus haut, dans le centre du Morvan, le Rocher du Chien, près de Quarré-les-Tombes, surplombe la route : il fut détruit en partie en 1944 par les maquisards qui barrèrent ainsi une voie aux Allemands. Non loin, à la limite entre l'Yonne et la Nièvre, le rocher de la Pérouse, d'où l'on jouit d'une fort belle vue par beau temps.

Tout près encore, sur le territoire de Saint-Léger-Vauban, la Pierre-qui-Vire. Elle date, paraît-il, de 300 millions d'années. Comme à Uchon, le bloc de granit tournait; il a été scellé et, depuis que, vers le milieu du siècle dernier, s'y sont installés les moines, il est surmonté d'une statue de la Vierge.

Un peu plus au nord-ouest, et à quelques kilomètres de Vézelay, se trouve le village de Pierre-Perthuis. Comme l'on peut s'en douter, il tire son nom d'un trou dans la roche, qui constitue ainsi une sorte d'arcade : malheureusement, on ne la distingue pas toujours depuis le village, car elle peut, en été, être cachée par le feuillage. Pierre-Perthuis est également célèbre par ses deux ponts superposés : l'un du XVIIIe siècle, en dos d'âne bien sympathique, comme on aime à en rencontrer dans nos campagnes - et l'autre, le moderne, qui franchit superbement la vallée de la Cure d'une seule arche, comme en se jouant de l'ancêtre qui, à ses pieds, à trente-trois mètres en-dessous, lui semble insignifiant.

Il faut citer ausi les éperons où sont élevés des châteaux - Chastellux; des villages - Vézelay; ou des villes - Avallon.

Dans cette même région de l'Yonne, la Cure atteint une région calcaire, ce qui lui permet de participer, avec les fantaisies que nous fait parfois la nature, à la création de grottes. Là, l'étrange se manifeste à Arcy-sur-Cure et à Saint-Moré, par des

Dans le village de Pierre-Perthuis, la roche percée forme une arcade.

La Pierre-qui-Vire : au-dessus de la grande pierre plate, elle-même posée sur un rocher, les moines ont hissé une statue de la Vierge.

A Pierre-Ecrite, quel message nos ancêtres les Gaulois ont-ils voulu transmettre aux générations suivantes?

concrétions, des petits lacs souterrains, des stalles et des galeries. C'est dans l'une des grottes de Saint-Moré que vécut, les dernières années de sa vie, un ermite laïc, le père Leleu, assassiné dans des conditions mystérieuses en 1913, et qui fit l'objet, en 1980, d'un livre de Jean-Pierre Brésillon.

Autre pierre à citer, dans cette promenade en zigzag : elle s'appelle Pierre-Ecrite, et tout le monde peut l'apercevoir au bord de la route, sous un vieil arbre, dans la commune d'Alligny-en-Morvan, entre Saulieu et Autun. L'inscription est illisible, on distingue à peine les personnages représentés, mais on sait qu'elle est gauloise.

Et enfin - mais pourquoi dire enfin? il y a tellement d'autres roches qui méritent que l'on s'arrête et qu'on étudie leur histoire - on peut voir, au sommet du mont Beuvray, la pierre de la Wivre.

La Wivre ou Vouivre était un serpent monstrueux et légendaire : une telle légende n'est pas à proprement parler morvandelle, on la retrouve à Couches, en Saône-et-Loire - entre Autun et Chalon-sur-Saône - et au-delà de la Saône, dans le Jura. Marcel Aymé en a même tiré un roman, prolongé par la suite par un film. Mais, au Beuvray, c'est peut-être moins le souvenir de cette bête énorme aux multiples pattes et à la tête crachant le feu, qui est conservé - que celui de Vercingétorix. Très probablement en effet, du haut de cette plate-forme, le jeune homme nouvellement investi comme chef de toute la Gaule s'adressa-t-il à la foule.

Ne pas oublier de signaler que le Morvan est le paradis des minéralogistes, qui y trouvent manganèse, quartz, feldspath. Il y a même eu de l'uranium.

L'autunite, célèbre minerai d'uranium du Morvan, se retrouve au musée minéralogique de la Grande-Verrière.

Etang-sur-Arroux, l'une des portes du Morvan : descendue des hauteurs, la rivière montre là des eaux calmes.

L'aqueduc de Montreuillon : en bas l'Yonne, en haut «la rigole». Ce petit canal alimente, via les deux aqueducs d'Oussy et de Montreuillon, le canal du Nivernais avec l'eau du lac de Pannesière.

Troisième élément de la trinité morvandelle : ***l'Eau***. Elle est, elle aussi, omniprésente.

Car il pleut beaucoup : une moyenne de 1 000 mm par an sur les bordures du Morvan, et jusqu'à 1 800 mm sur le Haut-Folin. A Château-Chinon, il tombe, en novembre, décembre et janvier, 130 mm d'eau par mois.

Empruntons à Francis Farley, prix du Morvan 1989 pour son roman «*Les Etangs de Marrault*», quelques lignes sur ce phénomène si fréquent, si quotidien : «*C'était juin et il pleuvait. Il pleuvait comme il pleut en Morvan, serré sous un ciel sans espoir, bas et gris, il pleuvait à alimenter les sources pour toute une année en une seule fois, il pleuvait à garder le vert des bois et des champs durant tout un été*».

Là où la roche n'est pas à fleur de terre, le sol est recouvert d'une couche d'arène, constituée par du granit désagrégé par les infiltrations et perméable. Dans cette arène d'une profondeur variable mais pouvant en certains endroits atteindre plusieurs mètres, les pluies s'infiltrent, et l'eau, mise au contact des dépôts argileux imperméables, ressort en nombreuses sources.

Le Morvan est donc une éponge gorgée d'eau, et les sources donnent naissance à de nombreux ruisseaux qui, grossis d'autres ruisseaux, arrivent parfois à se transformer en torrents.

Le principal des cours d'eau, c'est l'Yonne, qui prend sa source au mont Préneley. On devrait plutôt dire ses sources car, dans le pré où on la perçoit pour la première fois, elle n'est qu'une multitude de suintements. Mais l'Yonne, c'est l'eau reine. L'Yonne, c'est la divine Icaune à qui les Anciens rendaient un culte.

Henri Boussard, le compagnon de rivière, l'un des héros de Francis Farley, emmène le jeune François, qui veut lui aussi apprendre le métier et mener les bûches à Paris, faire une sorte de pélerinage. Après une marche de deux jours à travers la forêt

- c'est loin quand on vient de la région d'Avallon - ils arrivent à une prairie. L'eau sourd entre les racines d'un arbre, au milieu des cressons sauvages et des boutons d'or. L'homme se met alors à genoux, prend de l'eau dans sa main et la boit, puis s'en frotte le visage, comme s'il accomplissait un rite sacré. Et il dit à l'adolescent, presque respectueusement : *«C'est l'Yonne»*. Cela veut tout dire.

L'Yonne pourtant ne rend pas au Morvan tout l'amour que celui-ci lui porte. Après être descendue assez follement de 750 à 400 mètres sur une dizaine de kilomètres, elle traverse le lac de Pannesière-Chaumard, se livre à une pirouette élégante en hissant sa *«rigole»* sur l'aqueduc de Montreuillon pendant qu'elle-même coule une trentaine de mètres au-dessous.

Le Morvan, elle s'en détache bientôt, elle n'a rien de plus pressé que d'aller rejoindre la Seine, avec laquelle elle va former un étrange couple saphique : qui est le maître? qui est la maîtresse? Les Morvandiaux, eux, ont une opinion bien précise : ce n'est pas la Seine qui coule à Paris, c'est l'Yonne, leur Yonne. A Montereau, au confluent, le débit de l'Yonne n'est-il pas supérieur à celui de la Seine? C'est là, bien sûr, une remise en cause des données géographiques fondamentales inculquées depuis des siècles aux écoliers de France - mais c'est une des manifestations d'un régionalisme un peu chauvin et point agressif, plutôt amusant. On le retrouve aussi ailleurs : ainsi pour l'Allier et la Loire. A l'époque où les saumons remontaient les fleuves, ces poissons, venus de l'Atlantique par la Loire, n'hésitaient pas quand ils arrivaient au Bec d'Allier : ils choisissaient la rivière et non le fleuve - ce qui pouvait permettre aux habitants de Moulins de dire que c'était l'Allier qui baignait la Touraine et ses châteaux.

L'Yonne, la divine Icaune, naît ici. Elle portera ses eaux jusqu'à Paris et bien plus loin encore.

Les affluents de l'Yonne? Ce sont des torrents, et ils forment parfois, dans le Haut Morvan, celui du sud, de bruyantes cascatelles. Et ils sont tous sur la rive droite : Touron, Houssière, Languison, Auxois, Armance. On peut ajouter un détail : l'Houssière est grossie, notamment, de la Reinache qui naît à Anost. Sait-on, à ce sujet, qu'Anost est la seule commune de Saône-et-Loire qui ainsi ne fournit son eau ni à la Saône ni à la Loire?

Mais le principal affluent de l'Yonne est celui qui, dans le Morvan même, lui est parallèle et qu'elle ne reçoit que beaucoup plus au nord : la Cure, grossie à droite par le Cousin et son frère ou cousin le Trinquelin, et le Caillot - et à gauche par le Chalaux.

Cette Cure a une fort jolie vallée qu'il n'est guère facile de descendre ou de remonter, à moins d'être à pied, car elle a des coquetteries de fille un peu luronne et elle se plaît à jouer à cache-cache avec la route.

Du sud du Morvan déboulent des affluents de la Loire : l'Arroux, grossi du Ternin - et l'Aron, grossi de l'Alène, de la Dragne, du Veynon et du Trait.

Les cascades? On peut évoquer celle de Brisecou, près d'Autun, celle aussi du saut de Gouloux, où le Caillot fait une chute de plusieurs mètres qui attire les amateurs de photos et de cartes postales. Son eau, affirmait-on autrefois, rendait fous ceux qui la buvaient. Et aujourd'hui?

Beaucoup de rivières conduisent à des lacs artificiels. Le plus ancien, le plus connu, le plus fréquenté car le plus adapté au tourisme, c'est le lac des Settons, sur la commune de Montsauche, qui d'ailleurs pris le nom de Montsauche-les-Settons. Jean-François Bazin trouve à son site *«un charme presque canadien»*.

Il a été créé sous le Second Empire, à l'instigation du député Dupin, sur l'emplacement d'un marécage, pour régulariser le flot de la Cure à une époque où le flottage du bois et son envoi par eau vers Paris étaient encore fort importants.

Six lacs agrémentent la région, et seul celui des Settons date du siècle dernier. Les autres sont récents. Ils comportent pour la plupart des barrages ou des digues, et des usines hydroélectriques qui alimentent en eau des régions sises au nord ou à l'est du Morvan.

Pour les caractéristiques, un tableau est sans doute davantage évocateur que toutes les phrases :

LACS	COURS D'EAU LES TRAVERSANT	ANNÉE DE MISE EN SERVICE
Settons (58)	Cure	1858
Crescent (58)	Cure et Chalaux	1933
Chaumeçon (58)	Chalaux	1935
Pannesière-Chaumard (58)	Yonne	1949
Saint-Agnan (58)	Cousin	1969
Chamboux (21)	Ternin	1988

Pêche dans le Cousin. La gastronomie morvandelle accomode fort bien les truites des affluents de l'Yonne.

Parmi les multiples curiosités d'Autun, la cascade de Brisecou, à proximité de la ville.

C'est par hasard qu'en 1934 on découvrit l'établissement thermal romain de Fontaines-Salées aux 19 puits d'eau chlorurée sodique, radioactive et gazeuse.

Les activités nautiques ont été développées au cours des dernières années, et ces lacs sont également appréciés des pêcheurs qui y trouvent les éléments de fritures dominicales, cependant qu'ailleurs, les rivières recèlent des truites.

Pour terminer ce chapitre relatif à l'eau, signalons encore deux lieux. D'abord Fontaines-Salées, sur la commune de Saint-Père : le site, mis au jour en 1934, a permis de découvrir un établissement thermal de l'époque gallo-romaine; l'analyse des eaux a montré que les populations de cette époque devaient venir y soigner leur peau et leurs rhumatismes. Puis, tout à fait au sud, Saint-Honoré-les-Bains. La station thermale était déjà connue des Romains, et elle fonctionna probablement jusqu'au Ve siècle, époque des invasions barbares. Elle fut remise en honneur vers 1860, et elle accueille aujourd'hui, pendant les mois du printemps et de l'été, 5000 curistes. Elle est la première station de Bourgogne.

Les trois sources - «La Crevasse» (24°), «Les Romains» (26°) et «La Garenne» (30°) - donnent des eaux sulfureuses et arsenicales qui, comme celles de La Bourboule et du Mont-Dore en Auvergne, permettent de soigner les maladies respiratoires : asthme, emphysème, rhinopharyngite. La clientèle est surtout française, mais les habitants de Saint-Honoré n'omettent pas de signaler que, voici quelques décennies, le grand musicien Sidney Bechet vint y faire sa cure.

Le Bois, la Pierre et l'Eau : les trois composantes donc du Morvan. Cette assertion se trouve illustrée, en quelque sorte, par l'existence, présente ou passée, des moulins. Ceux-ci ne sont-ils pas, au sein des forêts, des bâtiments installés à proximité d'un ruisseau ou d'une rivière?

Moins certes que les châteaux ou les vieilles églises - mais il n'existe pas tellement de châteaux et de vieilles églises au coeur du Morvan ! - les moulins constituent l'un des éléments du patrimoine d'une région. Ne fabriquaient-ils pas, autrefois, ce que l'on appelait fort justement le pain quotidien?

Toutefois, dans le Morvan comme dans les autres régions de France, la plupart ont disparu : rançon de ce que l'on appelle le progrès - à moins que l'on ne préfère le mot plus restrictif d'évolution. La revue éditée par la CAMOSINE cite à ce sujet ces quatre vers d'un poète morvandiau de la fin du siècle dernier :

«Et le vieux moulin, le pauvre moulin
Dont le maître est mort un matin d'automne,
Gît parmi les champs sous la lune atone,
Seul et délaissé comme un orphelin.»

Certains ne sont plus que des ruines, d'autres ont été transformés : en scieries, en résidences secondaires, en gîtes d'étape, et ils ne savent plus refléter la vie agitée, bruissante et besogneuse d'autrefois. Il en est aussi qui ont été purement et simplement rayés du paysage lorsque les lacs ont été créés : à l'image de leurs compatriotes qui s'étaient montrés parfois hostiles au creusement des routes, des meuniers expropriés ne se sont pas laissé dépouiller facilement, au point qu'il fallut dans certains cas faire appel à la maréchaussée pour les déloger lorsque l'eau montante atteignait le seuil de leurs bâtiments.

Il est un auteur, pourtant né bien loin de la région mais qui, depuis pas mal de temps, habite Nevers et connaît son Morvan sur le bout du doigt pour l'avoir visité à pied jusque dans ses moindres recoins : c'est Philippe Landry, dit Barbetorte. Il a écrit sur les moulins plusieurs livres - dont l'un en collaboration avec un autre Philippe : Berte-Langereau - et un grand nombre d'articles.

On apprend ainsi, en le lisant, que le plus vieux site meunier est Moulins-Engilbert : le nom de ce lieu se serait formé, selon lui, aux temps carolingiens, voire mérovingiens.

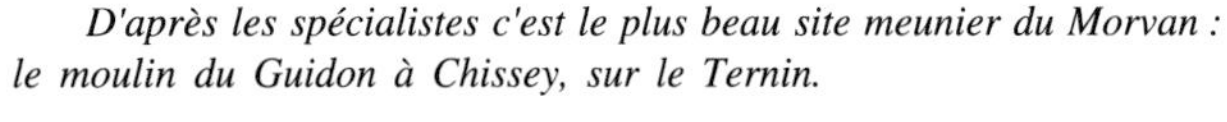

D'après les spécialistes c'est le plus beau site meunier du Morvan : le moulin du Guidon à Chissey, sur le Ternin.

Situé à l'entrée du Morvan, le moulin de Cruzille à Saint-Symphorien-de-Marmagne.

A Alligny, il n'y avait pas moins de dix moulins en 1850, et, à la même époque, pas moins de six à Montsauche.

Autun fut aussi un des hauts lieux de la meunerie, et l'évêque en possédait plusieurs - Philippe Landry en a dénombrés jusqu'à dix-sept - dans la campagne environnante.

Il n'existait pas que des moulins à farine. Il y en avait également à huile, à cidre, et même, comme à Monthelon, à papier. D'autres battaient les écorces pour en extraire le tan, et les foulons dégraissaient les étoffes confectionnées avec la laine des moutons du pays. Ces moulins à eau étaient mûs soit par des pales, soit par des augets. Les pales - surtout sur les rivières importantes, l'Yonne et ses affluents directs - fonctionnaient grâce au courant arrivant par-dessous. Dans les moulins à augets, qui étaient des sortes de petits godets, l'eau arrivait au-dessus de la roue et lui permettait ainsi de tourner.

Quelques moulins fonctionnent encore; d'autres, quoique bien conservés dans leur état extérieur, demeurent silencieux et ne donnent plus au paysage que l'illusion du passé.

Parmi ceux qui fonctionnent, on peut citer ceux d'Arleuf, Avallon, Dommartin, Etang-sur-Arroux, Fléty, Luzy et Montreuillon.

Mais il est question d'en reconstruire d'autres.

Une association, justement dénommée *«Moulins du Morvan»*, s'est créée voici quelques années à Athée, hameau de Saint-André-en-Morvan. Elle publie une revue trimestrielle et met tout en oeuvre pour faire connaître ces bâtiments aux touristes et aux amoureux des traditions. Elle amène ainsi de l'eau aux défenseurs des moulins de ce Morvan rude et silencieux qui génère néanmoins une indéniable poésie.

A Saint-Brisson, au moulin Caillot, du XVIIe siècle, règne en maître Maxime Guillemenot, ultime successeur d'une famille de meuniers.

Ceux qui Partaient

A Anost renaît depuis quelques années la fête des galvachers, ces charretiers qui se louaient pour l'été dans les régions proches du Morvan.

Vielle à roue et accordéon pour le fête des galvachers.

Depuis des siècles, Vézelay est un lieu de pélerinage. Ici, l'arrivée du pélerinage annuel du Mouvement de la jeunesse catholique française.

A Vézelay, toute simple est la croix de bois marquant l'emplacement où saint Bernard prêcha la Deuxième Croisade.

Cela se passait le 31 mars 1146. Sur le flanc nord de la colline de Vézelay, ils étaient des dizaines de mille - deux cent mille, affirme Maurice Druon - à écouter dans le silence le discours enflammé d'un homme vêtu d'une coule blanche. Au roi de France Louis VII, à ses seigneurs, barons et chevaliers, à tous les pélerins, cet homme blanc parlait de Dieu, et du tombeau du Christ menacé par les Infidèles. Et les assistants, remués au plus profond d'eux-mêmes, décidaient d'une seule voix de partir pour la Terre Sainte : ce fut le premier acte, bien connu, de la Deuxième Croisade. Et pourtant il n'a jamais inspiré - on peut s'en étonner - aucun des nombreux peintres qui, depuis le Moyen Age, ont représenté des épisodes de la vie de Bernard de Clairvaux, saint Bernard. Le seul souvenir qui demeure et le marque, c'est une croix de bois érigée sur un socle de granit.

A Vézelay, quarante-quatre ans après, en 1190, le fils de Louis VII donnait rendez-vous à son vieil adversaire le roi d'Angleterre. Et de là, botte à botte, Philippe-Auguste et Richard Coeur de Lion partirent, à leur tour, pour la Troisième Croisade.

Pendant des siècles encore, Vézelay fut un lieu de rassemblement et de départ, puisque ce village figurait parmi les centres de regroupement des pélerins de Saint-Jacques-de-Compostelle.

Plus tard, au XIXe siècle, d'autres départs marquèrent le Morvan, et ces départs ne se faisaient pas dans la liesse. Le pays ne nourrissait pas toujours bien ses enfants. Alors ceux-ci s'expatriaient, allaient chercher du travail plus loin. En un siècle, la population du centre du Morvan est passée de 140 000 à 30 000 aujourd'hui...

A l'image des rivières qui fuient, en tournant le dos au sol natal, vers la Seine ou la Loire, les habitants, attirés par le mirage des ailleurs, désertaient la terre des ancêtres, jugée par eux trop parcimonieuse.

Certains ne partaient que pour quelques semaines : ils allaient dans le Bazois, l'Auxois ou la vraie Bourgogne, faire les foins, les moissons ou les vendanges.

Mais d'autres s'éloignaient pour plus longtemps.

Il y a eu, notamment, les nourrices.

Les Morvandelles qui venaient d'avoir un enfant allaient se louer à Paris dans les familles nobles, bourgeoises ou aisées, et nourrissaient de leur lait les enfants de ces familles. Le leur, elles le laissaient à une grand-mère, à une tante ou à une voisine.

Cela dura à peu près tout le XIXe siècle, et prit fin vers 1914. Un auteur d'un ouvrage sur le Morvan, Jacques Levainville, a noté au début de ce siècle qu'en 1861, dans le canton de Montsauche, sur 2 884 femmes ayant accouché, 1 897 étaient parties comme nourrices dans la capitale.

Elles étaient bien traitées dans les familles, et souvent elles suivaient, avec le bébé, les parents dans leurs voyages. Certaines eurent l'honneur d'allaiter les enfants ou les petits-enfants de Louis-Philippe, le Prince impérial - fils de

La tradition des nourrices alimente jusqu'à l'iconographie, comme sur ce panneau de stalle de Saulieu, où, fait exceptionnel, la Vierge montre le sein.

Grâce au folklore, la tradition des galvachers est aujourd'hui conservée.

Napoléon III - les enfants du duc de Broglie, ou ceux de la famille de Ferdinand de Lesseps ou des patrons d'une grosse entreprise alimentaire, le chocolat Menier.

Il arrivait que, gagnée par les avantages de la vie parisienne, la nourrice incite son mari à venir la rejoindre, et le couple s'installait à demeure dans la capitale : le mari devenait balayeur des rues, ou employé dans un grand magasin.

Ce lait des Morvandelles tant apprécié, il ne fallait point le tarir. C'est pourquoi, si un malheur survenait dans la famille demeurée au pays, on n'en avertissait pas la nourrice, qui eût ainsi risqué de perdre son lait - et son emploi.

Mais une telle séparation n'était pas toujours bénéfique : certaines familles provisoirement séparées en arrivaient à la désunion totale, et les enfants morvandiaux nourris au lait de bique ne pouvaient pas toujours bien profiter.

Si bien que certains, comme le docteur Charles Monot, qui fut maire de Montsauche pendant plus de cinquante ans avant 1914, s'élevèrent contre ce que l'on appelait *«l'industrie des nourrices»*. Et aussi contre une autre coutume de l'époque : celle des *«petits Paris»*. C'était, à l'inverse, des enfants parisiens placés dans le Morvan par l'Assistance Publique de la Seine - il y en eut plus de 10 000 pendant le XIXe siècle - et qui étaient élevés par des Morvandelles jusque vers l'âge de douze ans : ils ne pouvaient pas toujours être bien nourris.

Il demeure toutefois que *«l'industrie des nourrices»*, aussi bien celles allant porter leur lait à Paris que celles hébergeant des enfants dans le Morvan même, a eu certains effets bénéfiques pour les familles. Souvent, grâce à l'argent ainsi gagné, des aménagements pouvaient être faits à la vieille maison : par exemple, le toit de chaume était remplacé par un toit d'ardoise.

Autre coutume, autre tradition, autre manifestation typiquement morvandelle : celle des *«galvachers»*. C'étaient les routiers d'autrefois. Ils quittaient le pays au début de mai avec leurs boeufs et leur chariot, et ils allaient se louer pendant toute la saison, pour ne revenir que début novembre.

Ils partaient loin, vers les *«Pays bas»*, tout au moins vers ce qu'ils appelaient ainsi et qui n'avait rien à voir avec la Hollande : le Berry, ou la Bourgogne, ou le Bassin Parisien, ou les Vosges. Ils emmenaient leurs provisions pour la saison, ainsi que le foin destiné à leurs boeufs, ces boeufs mi-blancs mi-roux, disparus aujourd'hui où le Morvan ne possède plus que des bovins charolais à robe blanche. Ils bivouaquaient le long des chemins et ne s'arrêtaient pas dans les auberges, mais dans les baraques ou dans les prés. Une fois arrivés dans la région qu'ils avaient choisie, ils faisaient, pour des propriétaires, des charrois de bois, de récoltes ou de marchandises de toutes sortes.

Ils partaient de Château-Chinon, d'Arleuf, de Montsauche, de Planchez, de Saint-Brisson, et surtout d'Anost. Au hameau de Bussy, le plus à l'ouest, ils buvaient un verre chez l'aubergiste - le seul qu'ils voyaient pendant tout leur voyage et qu'ils appelaient *«le Cô»*. L'auberge n'existe plus, mais la maison qui l'abritait est toujours là.

Leur départ donnait lieu à une petite fête : les attelages étaient décorés de branches de cerisier sauvage et de frêne. Et leur retour, à l'automne, était aussi marqué par des réjouissances.

Une chanson, une sorte de complainte, était chantée lors du départ. Elle ne comportait pas moins de seize couplets. Aujourd'hui encore, dans les fêtes et les banquets morvandiaux d'où la vielle n'est pas absente, il arrive qu'on la chante en choeur :

«Allons, galvachers, en avant!
Il faut quitter notre Morvan.
Montons la route
Et chassons le souci :
Buvons la goutte
Chez le Cô à Bussy!»

Ne pas confondre le galvacher, qui était propriétaire d'une voiture attelée, avec le *«boeutier»*, simple valet de boeufs - qui parfois l'accompagnait.

Et puis il y avait d'autres hommes qui quittaient provisoirement le Morvan : ceux-là emmenaient à Paris des *«trains de bois»*, et Joseph Bruley, dans l'ouvrage qu'il leur a spécialement consacré, les a appelés poétiquement *«les gondoliers du Morvan»*.

«Le fleuve est un chemin qui marche», disait Pascal. Les rivières aussi, où l'on jetait les bûches destinées à Paris : pendant quatre siècles, l'approvisionnement de la capitale en bois de chauffage venait, en grande partie, du Morvan.

Les forêts morvandelles appartenaient généralement à la grande noblesse ou à des marchands parisiens, et, dès le mois de novembre, se tenait à Château-Chinon la foire annuelle du bois, où les prix étaient fixés pour la saison.

La maison d'Anost, au hameau de Bussy, qui abritait l'auberge du «Cô».

La statue du «flotteur» sur le pont de l'Yonne à Clamecy.

Les arbres - chênes et hêtres surtout - étaient coupés, sciés en bûches d'égale longueur : trois pieds et demi, soit 1,14 mètre. Puis on les empilait, et on les marquait aux signes des différents propriétaires.

Comme les ouvriers qui faisaient ce travail étaient illettrés, ils portaient sur les bûches une marque distinctive : croix, collier de cheval, toupie, cadenas, cognée, étoile.

On jetait ensuite le bois à la rivière : c'était le flottage dit *«à bûches perdues»*. Les cours d'eau, même les plus faibles, étaient rendus flottables grâce aux étangs remplis par les pluies d'hiver et dont on ouvrait les vannes. Les bûches, ainsi chassées par le courant, avançaient dans un bruit de débâcle qui s'entendait loin en aval.

Tout au long du parcours, des ouvriers les tiraient ou les poussaient avec de longues gaffes : un spectacle que l'on voit encore de nos jours au Canada ou en Finlande.

Il arrivait que les bûches s'empilent et obstruent ainsi le lit de la rivière. Il fallait alors dégager. On criait, et les avertissements se répandaient de proche en proche, jusqu'à ce que l'on cesse, en amont, de jeter du bois à l'eau.

Sur la Cure, gonflée de nombreux affluents, les bûches descendaient fort loin, jusqu'à Vermenton, bien après les dernières pentes du Morvan. Sur l'Yonne, la ville où tout s'arrêtait, où tout se transformait, où tout prenait une autre dimension, c'était Clamecy.

Clamecy était la plaque tournante du flottage, une sorte de Conflans-Sainte-Honorine des bois, où, si l'on préfère une image moins fluviale, une gare de triage. Les hommes retiraient les bûches de la rivière, et les femmes et les enfants les empilaient en tas distincts par propriétaire, grâce aux marques faites sur le bois.

Des hommes intervenaient à nouveau et constituaient des trains de radeaux. Un radeau pouvait avoir 70 à 75 mètres de long sur 5 mètres de large, et une hutte y était aménagée pour permettre à l'ouvrier flotteur de s'abriter et de se reposer de temps à autre.

Les ouvriers flotteurs, les *«compagnons de rivière»*, emmenaient leur radeau jusqu'à Paris, au quai de Bercy. C'étaient des gens qui se voulaient un peu à part : ils avaient un certain orgueil de classe. Ils portaient une blouse et un grand béret avec une ancre de marine brodée et un cordon prolongé par un pompon. Ils étaient fiers de cette sorte d'uniforme, fiers surtout de leur métier. Ils professaient des idées avancées et même révolutionnaires, et ils avaient réussi, sous l'Ancien Régime, à créer une société de secours mutuels.

Ils n'étaient pas nombreux, quelques centaines seulement, et, avec leur famille, ils constituaient une population de deux à trois mille personnes vivant dans le quartier de Bethléem, sur la rive droite de l'Yonne.

Une salle entière du musée de Clamecy est consacrée au débitage, à la mise à l'eau et au flottage du bois, qui constituèrent les activités principales du Morvan pendant plusieurs siècles.

...L'opération, à cause de l'angle fermé du méandre, demandait au flotteur un engagement physique total. Pas question de souffler, cependant. A courte distance, un pertuis ouvert dans une retenue d'eau attirait les radeaux comme l'aimant attire le fer. A l'approche de la chute, la rivière devenait lisse, huileuse, profonde. Ajustant sa trajectoire sur celle du train précédent, le flotteur voyait tout à coup celui-ci disparaître, littéralement avalé par le gouffre. L'étroit passage entre les murs du pertuis était libre... Aspiré, le radeau filait, filait vite, de plus en plus vite, et soudain, sous le nez, le vide! A ce moment précis, le flotteur engravait la pointe de sa perche dans le sable, contre le courant, et bloquait l'autre extrémité sous l'une des oreilles solidement fixées au coupon de tête. Sous la violente poussée du flot, la masse de bois se cabrait au-dessus des tourbillons mugissants, selon une inclinaison qui lui évitait de piquer brusquement du nez. Quelques instants plus tard, elle s'abattait, dans un éclaboussement de mousse et d'écume. Le flotteur, ramassé sur lui-même, stabilisait son équilibre, alors que la queue de train glissait encore au niveau supérieur, plusieurs mètres au-dessus de lui.

En dépit du danger que présentait ce bond énorme, Juste aimait l'accélération furieuse, le freinage soudain, l'ample mouvement de bascule, la double gerbe enfin, qui saluait les retrouvailles du train avec le flot grondant. Il aimait sentir sous ses pieds vibrer le plancher de bois. Il avait l'impression que son radeau vivait, qu'il résistait à l'éclatement, que les trois mille nerfs de ses rouettes resserraient leur étreinte.

Quand le fracas de la chute se fut éloigné, quand l'Yonne s'ouvrit devant lui comme une large avenue bordée de peupliers, Juste jeta un oeil vers Lucas. Le garçon leva un bras en signe de victoire. Ils venaient de remporter une victoire, en effet. Mais flotter sur cette rivière, c'était livrer bataille sur bataille. Le flotteur, sentinelle infatigable, devait monter une garde de tous les instants. Ponts, méandres, pertuis, autant de places fortes à enlever, avec pour seule arme une longue perche de bois. Non, pas tout à fait. Avec la force dans les bras, aussi, et l'intelligence dans la tête...

Daniel HENARD

L'église (moderne) du quartier de Bethléem à Clamecy, où vivent aujourd'hui les descendants des «flotteurs».

L'écluse de Cunzy, l'une des nombreuses écluses du canal du Nivernais.

Pendant le long trajet qui les menait vers Paris, ils chantaient, mais leur métier était très dur. Les drames n'étaient pas rares : jambes écrasées, bras en moins, quand ce n'était pas la noyade pure et simple, à cause d'un courant parfois violent de l'Yonne, cette Yonne qui leur était si chère mais qui se révélait une amante difficile et coléreuse.

La création du canal du Nivernais, en 1842, donna un premier coup au flottage du bois : les Parisiens commencèrent à utiliser le transport par péniche. Puis le charbon détrôna le bois, et la décadence s'accentua. La fin, la véritable fin, se situa en 1923 : cette année-là, le dernier radeau quitta Clamecy.

Mais le souvenir des flottages reste dans les mémoires des descendants. L'Yonne, ceux-ci la chérissent toujours et, le 14 juillet de chaque année, est organisée la fête des joutes. Le vainqueur, celui qui n'ira pas à la rivière, sera déclaré *«roi sec»*.

C'est un marchand parisien, Jean Rouvet, qui a, sinon inventé - cela existait depuis l'Antiquité - du moins organisé le flottage, et il a aujourd'hui son buste à Clamecy.

Le premier train avait, à son instigation, été créé en 1549. Aussi, en 1949, pour fêter le quatrième centenaire, une manifestation spectaculaire fut-elle mise sur pied. Un train de bois partit de Clamecy le 17 avril et, descendant l'Yonne et la Seine à son allure d'autrefois, il arriva le 3 juillet à Paris, où il fut accueilli par les vivats des personnes présentes, parmi lequelles se trouvaient un grand nombre de Morvandiaux domiciliés dans la capitale.

Les liens entre le Morvan et la région parisienne se sont donc fortement développés, du fait de ces phénomènes sociaux et économiques qu'ont été l'afflux des nourrices et le flottage du bois - et, en sens opposé - l'installation, par les soins de l'Assistance Publique du département de la Seine, des *«petits Paris»*. Rarement une contrée aussi relativement éloignée de Paris aura eu l'occasion de nouer autant de rapports avec la capitale.

Celles et ceux qui s'expatrièrent pour aller s'ancrer dans la capitale ne coupèrent jamais le cordon ombilical les reliant au Morvan : ils y ont conservé la vieille maison, devenue résidence secondaire, et ils reviennent y passer quelques semaines d'été ou y terminer leur vie, avant d'aller rejoindre les anciens au cimetière du village.

Un mensuel, *«le Morvandiau de Paris»*, créé en 1930 pour prendre la suite d'un autre journal qui s'appelait *«la Gazette du Morvan»*, est servi aujourd'hui à 2 500 abonnés domiciliés tant à Paris que dans le Morvan. Il donne des nouvelles de la région et des événements qui se déroulent dans les quatre départements. Son siège - qui est aussi celui de la société *«La Morvandelle»* - se trouve rue Saint-Maur, dans le XIe arrondissement, à proximité de la toute petite rue du Morvan, et point tellement loin du quai de Bercy où, jusqu'en 1923, s'arrêtaient les trains de bois venus du coeur même du pays natal.

Devenue un plan d'eau, l'Yonne sert de théâtre aux jouteurs de Clamecy.

Le Morvandiau de Paris
BOURGOGNE-MORVAN-NIVERNAIS
Journal Officiel de la Société « LA MORVANDELLE »
du Groupe Sportif « LE MORVAN-SPORTING-CLUB »
du Groupe Folklorique « LA BOURRÉE MORVANDELLE »
NIÈVRE - SAONE-ET-LOIRE YONNE - COTE-D'OR
BUREAUX - DIRECTION - ADMINISTRATION - 25, Rue St-Maur - PARIS-XI - Tél. 47.00.53.15

ESSAI SUR LA GAULE ET LES GAULOIS

L'AGRICULTURE DES GAULOIS
LEUR NOURRITURE
LEURS INVENTIONS

DIMA...

Le Morvandiau de Paris
BOURGOGNE-MORVAN-NIVERNAIS
Journal Officiel de la Société « LA MORVANDELLE »
du Groupe Sportif « LE MORVAN-SPORTING-CLUB »
du Groupe Folklorique « LA BOURRÉE MORVANDELLE »
NIÈVRE - SAONE-ET-LOIRE YONNE - COTE-D'OR
BUREAUX - DIRECTION - ADMINISTRATION - 25, Rue St-Maur - PARIS-XI - Tél. 47.00.53.15

ASSEMBLÉE GÉNÉRALE EXTRAORDINAIRE

Les Morvandiaux de la capitale et ceux restés au pays se sentent plus proches les uns des autres, grâce à ce mensuel qui leur est cher.

Ceux qui Restaient
Ceux qui Resistaient

Le général de Gaulle l'a dit un jour : *«La Résistance française a commencé le 3 septembre 1939»* - et le colonel Rémy a donné cette phrase comme titre à l'un de ses nombreux ouvrages sur la Seconde Guerre mondiale. De Gaulle voulait signifier par là que son appel du 18 juin 1940 était la suite logique des événements qui s'étaient déroulés depuis près d'une année, depuis que la France était engagée dans la lutte contre l'Allemagne nazie.

Mais la Résistance vient encore de plus loin; elle vient du fond des siècles, et elle est l'âme même du vieux pays gaulois dont le Morvan est l'un des visages.

Elle a commencé à Bibracte, avec Vercingétorix, quelques décennies avant notre ère, il y a donc un peu plus de 2 000 ans. Bibracte : ne cherchez pas ce nom sur le dictionnaire des communes de France. Bibracte n'existe plus, elle est ensevelie dans les entrailles du mont Beuvray.

C'était une agglomération industrielle, une sorte de Creusot avant la lettre, où travaillaient forgerons, émailleurs, fondeurs de cuivre, bronziers, potiers aussi, bref une grande cité : César disait que c'était le plus riche oppidum des Eduens.

Les Eduens avaient d'abord été les amis de César, qu'ils avaient appelé pour les aider dans leur lutte contre d'autres peuples celtes.

Mais certains d'entre eux - pas tous, il faut le reconnaître - conscients du danger que représentait un peuple venu d'au-delà des Alpes, décidèrent de s'unir aux autres tribus gauloises désireuses de se donner un chef. Accourus de toute la Gaule, des hommes arrivèrent à Bibracte et désignèrent pour les commander un jeune Arverne, Vercingétorix. Ainsi que l'a écrit quelque part Marcel Corneloup, maire de Saint-Léger-sous-Beuvray, *«une espérance gonflait ces hommes, qui n'imaginaient pas alors que la France commençait»*.

César se garda bien d'attaquer Bibracte; il ne vainquit Vercingétorix que plus tard, à Alésia. Il vint ensuite à Bibracte et y séjourna; il y écrivit même une partie de sa *«Guerre des Gaules»*.

L'oppidum représentait néanmoins une menace pour l'occupant romain, et Auguste décida de créer une autre cité : Bibracte fut abandonnée. Ainsi naquit Augustodunum, qui devait devenir Autun.

Ce fut tout de suite une cité florissante, *«soeur et émule de Rome»*, qui eut peut-être jusqu'à 10 000 habitants et un extraordinaire rayonnement, grâce notamment à ses écoles, où venaient étudier des jeunes de tout l'Empire.

Chaque année, depuis les fêtes qui ont célébré en 1985 le bimillénaire de la cité - *«Deux mille ans pour une ville, ce n'est rien»*, aime à dire Denis Grivot - un spectacle nocturne est proposé au cours de plusieurs soirées de juillet et d'août. Il retrace les grands événements qui se sont déroulés à l'époque de Vercingétorix et de César : six cents habitants costumés jouent le seul spectacle gallo-romain de France.

La porte d'Arroux à Autun, l'une des quatre portes monumentales de la ville romaine.

Mais Autun était une proie bien tentante pour les pillards après la chute de l'Empire romain, et elle connut les invasions et les déprédations des Barbares.

La résistance se poursuivit avec les premiers chrétiens. C'est à Autun que saint Symphorien fut supplicié en l'an 179, cependant que, la même année, non loin de là, à Saulieu, saint Andoche et saint Thyrse subissaient le même sort.

Quant à Bibracte, elle dormit pendant dix-huit siècles sous l'humus de la forêt : on l'avait oubliée.

Pas tout le monde cependant car, durant ces dix-huit siècles, chaque année au printemps, les habitants de la région montaient au Beuvray pour participer à une fête : ils imitaient en cela leurs pères, et les pères des pères de leurs pères. Cette tradition avait une allure de pélerinage, et cela intrigua un archéologue, Gabriel Bulliot, qui attira l'attention des pouvoirs publics. Napoléon III s'y intéressa, ouvrit des crédits, fit faire des fouilles. On découvrit ainsi la ville gauloise ensevelie. Les objets trouvés furent déposés dans des musées, en particulier dans l'un des musées d'Autun.

Mais on n'avait retrouvé qu'un petite partie de ce que fut Bibracte. Il faudra continuer : en 1985, le président de la République, François Mitterrand, proclama Bibracte *«site national»*, et les recherches ont commencé peu après; elles dureront plusieurs années.

Pour en terminer avec cette région, il convient de signaler qu'en 1870, lors de l'invasion, les Prussiens arrivèrent jusqu'à Autun, et que la défense de la ville fut confiée à Garibaldi.

Défendre une ville : la transition est toute trouvée pour arriver à un grand personnage historique : Sébastien Le Prestre de Vauban (1633-1707). Les Morvandiaux lui sont demeurés très

Avallon eut, au cours des siècles, à se défendre contre des envahisseurs, et elle s'est hérissée de remparts.

L'intérieur de la Maison Vauban de Saint-Léger-Vauban présente une évocation du grand homme de guerre du XVIIe siècle.

attachés : Romain Rolland ne se disait-il pas *«compatriote de Vauban»* ? Et le prix du Morvan 1991 ne fut-il pas attribué à la remarquable biographie que Bernard Pujo a faite de lui ?

Dans la partie septentrionale du Morvan, son souvenir est partout.

Avallon lui a élevé, sur une place qui porte son nom, une statue due à Bartholdi, et a fixé une plaque commémorative sur les remparts.

A Epiry, près de Corbigny, il habita au début de son mariage avec Jeanne d'Aunay. De sa demeure il ne reste qu'une tour rectangulaire.

A Bazoches se trouve encore son château : il y vécut peu, car son existence aventureuse l'accaparait ailleurs. Il est enterré dans l'église, avec son épouse, ses deux filles et son gendre.

Son village natal, Saint-Léger, a pris très logiquement le nom de Saint-Léger-Vauban. Il y a là un petit musée de deux pièces : dans la première une exposition avec des souvenirs et un certain nombre de reproductions, et dans la seconde un spectacle audio-visuel d'une vingtaine de minutes évoquant les différentes facettes de la personnalité d'un homme qui ne fut pas seulement un maréchal de France, mais aussi un écrivain et, à sa manière, un humaniste.

Pendant plus de cinquante ans, il fut au service du roi et prit part à toutes les campagnes. Mais il est surtout resté célèbre pour avoir développé les fortifications à nos frontières : il aménagea trois cents forteresses et en construisit lui-même plus de trente.

Vauban était laid au physique, mais il possédait des qualités morales : il était soucieux de la condition des soldats. Il a réussi à trouver grâce devant cette mauvaise langue de Saint-Simon, qui - ce n'était nullement dans ses habitudes - est allé jusqu'à dire du bien de lui.

Il ne se montra pas toujours d'accord avec Louis XIV, et il n'approuva pas la révocation de l'Edit de Nantes. Il écrivit un

L'église de Bazoches où se trouve le tombeau de Vauban.

Parmi les arbres, le château de Bazoches, où le maréchal, toujours sur les sentiers de la guerre, ne rendait que rarement visite à sa famille.

ouvrage, le *«Projet de dîme royale»*, dans lequel il demandait, près de cent ans avant la Révolution, l'égalité devant l'impôt. On comprend que ce livre n'ait guère été bien accueilli à Versailles, où les censeurs y trouvèrent *«plusieurs choses contraires à l'ordre et à l'usage du royaume»*.

On comprend aussi que, pendant l'occupation de la Seconde Guerre mondiale, l'un des maquis ait pris le nom de Vauban.

Un dernier mot à son propos. Si son corps repose en la crypte de l'église de Bazoches, son coeur, lui, n'y est plus : Napoléon Ier l'a fait transporter à Paris. Le précieux viscère, enfermé dans une boîte en plomb, fut confié à un brigadier de gendarmerie qui devait le remettre, à Avallon, à un représentant du ministère de la Guerre. Mais, en cours de route, le brigadier s'aperçut qu'il ne possédait plus l'urne : il l'avait étourdiment laissée à Bazoches dans la mangeoire de l'écurie du château où il avait déjeuné avec le maire et le sous-préfet. Il y retourna à bride abattue, la retrouva, la reprit, la remporta à Avallon. Après différentes péripéties, le coeur arriva à Paris. Tout finissait bien : aujourd'hui le coeur de Vauban se trouve aux Invalides, dans un monument en face de celui de Turenne.

Les Morvandiaux ont toujours eu la tête près du bonnet, une tête dont on a pu dire qu'elle avait la dureté du granit. Voici maintenant l'histoire de l'une de ces têtes dures, qui fut en même temps une tête brûlée : Claude Montcharmont.

Il habitait Saint-Prix, c'était une sorte de Raboliot, il braconnait dans les bois de la Saône-et-Loire et de la Nièvre. Ce faisant, il était semblable à beaucoup d'autres, mais la maréchaussée l'avait à l'oeil, lui bien davantage que d'autres plus puissants auxquels on ne disait rien, et on l'accablait d'amendes, on lui faisait des procès. On alla jusqu'à tuer sa chienne. Alors cet homme de 29 ans vit rouge. C'était en novembre 1850, à une époque où les esprits étaient échauffés par la révolution qui avait éclaté un peu plus de deux ans auparavant et par les troubles sociaux qui secouaient la Seconde République. Il tua un gen-

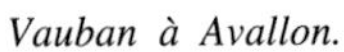

Vauban à Avallon.

Vauban à Saint-Léger-Vauban.

Souvert, un hameau de Chissey-en-Morvan. Un fait d'armes s'y déroula en 1814, au moment de l'arrivée des Autrichiens : un détachement de l'armée d'invasion tomba dans une embuscade préparée par des militaires français et des paysans du lieu. Les Autrichiens furent presque tous massacrés.

darme et, deux jours plus tard, il abattit un garde-champêtre. Il dut se cacher, prendre le maquis.

Deux compagnies d'infanterie furent amenées pour le rechercher, auxquelles s'ajoutèrent quarante gendarmes désireux de venger leur camarade. Montcharmont glissa entre les mailles du filet tendu autour de lui. On le retrouva loin du Morvan, à l'autre bout de la Saône-et-Loire, à Sennecey-le-Grand, au sud de Chalon. Il fut jugé et condamné à mort. Mais ce Morvandiau était un dur à cuire : il se débattit sur l'échafaud, si bien que l'exécution ne put avoir lieu normalement; il ne fut que blessé, et reconduit en sang à la prison. On dut le guillotiner une seconde fois...

Ce drame atroce fut grand bruit dans toute la France, et Victor Hugo lui-même s'en mêla : avec son fils Charles, il développa un violent réquisitoire contre la peine de mort.

Ainsi un braconnier meurtrier est-il devenu un héros des humbles. Il était en effet le symbole de la résistance du petit peuple des campagnes opprimé par certains notables.

A la même époque, des troubles éclatèrent à Clamecy. Cette localité avait déjà été le théâtre de manifestations populaires à plusieurs reprises au cours du XVIIIe siècle, et ces manifestations étaient dues aux flotteurs de bois qui, grâce aux voyages qu'ils faisaient dans la capitale, étaient au courant des événements qui se passaient à Paris. Lorsque le coup d'Etat de Louis-Napoléon Bonaparte fut connu peu après le 2 décembre 1851, des émeutes agitèrent la ville, et la répression fut dure : un certain nombre d'hommes furent proscrits jusqu'en Nouvelle-Calédonie.

Ce fut aussi de Clamecy que partit, dès novembre 1940, l'un des premiers cris de la Résistance intérieure. Sur un mur, une inscription : *«La Gaule à de Gaulle!»*.

Il n'est généralement pas d'usage, dans les communes de quelques centaines d'âmes, de donner des noms aux rues. Planchez est de celles qui font exception. On trouve en effet, dans le centre du bourg, près de l'église, une rue François Thiébault - un résistant local - une rue du maquis Serge, une rue du 25 juin 1944 - date de la destruction du village - une rue d'Oradour-sur-Glane, une rue de la Résistance, et un square Jean Moulin.

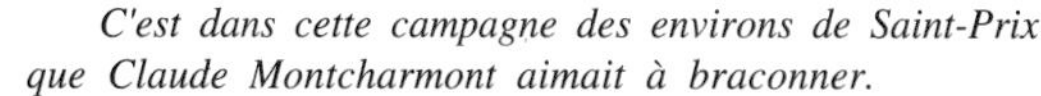

C'est dans cette campagne des environs de Saint-Prix que Claude Montcharmont aimait à braconner.

(Pages 72-73) «Il était une fois Augustodunum» chaque été dans l'ancien théâtre romain d'Autun.

Sur la colline, au sud d'Autun, la grande croix de la Libération, érigée en 1946.

A Ouroux-en-Morvan, des aviateurs anglais, combattants de la liberté, sont venus aussi mourir en terre morvandelle le 11 août 1944.

Déjà incendié à deux reprises au XIXe siècle - en 1807 et en 1832 - mais accidentellement, le bourg de Planchez fut totalement anéanti en cette journée du 25 juin 1944.

Montsauche, le chef-lieu de canton tout proche, fut incendié le même jour. Lui aussi offre aujourd'hui aux regards des maisons neuves, toutes pimpantes sous leurs toits d'ardoise, mais les habitants n'oublient pas, et si vous vous trouvez à Montsauche, à Planchez ou à Dun le 8 mai, vous pouvez constater que la cérémonie du souvenir est célébrée avec davantage de recueillement que dans des communes qui n'ont pas souffert. Et si vous interrogez les survivants, ils vous expliquent, avec des mots simples et graves, ce qui s'est passé.

A Dun-les-Places, ce fut horrible. Le drame se déroula les 26, 27 et 28 juin, au lendemain de la destruction de Planchez et de Montsauche. Vingt-sept personnes furent massacrées à la mitrailleuse et à la grenade, dont dix-huit devant l'église ou sous le porche, et les nazis poursuivirent le curé pour l'abattre dans son clocher.

Les maquis morvandiaux étaient au nombre d'une quinzaine environ : Vauban, Camille, Socrate, Serge, Louis, Bernard, Aubin, le Loup, Verneuil, Valmy, Bayard et d'autres encore. En août 1944, il n'y avait pas moins de 9 000 hommes sous les armes. Le repérage aérien était difficile, et les jeunes vivaient chez l'habitant. Les représailles étaient terribles.

Après les opérations de harcèlement, les maquisards sortirent peu à peu des bois et, alors que la France n'était pas encore libérée, occupèrent quelques villes du pourtour, comme Avallon et Clamecy. Pour Autun, ce fut plus difficile, et il fallut l'intervention de la Première Armée française du général de Lattre pour aider les Forces françaises de l'Intérieur (F.F.I.) à déloger les Allemands de la ville.

Des musées évoquent aujourd'hui, pour les jeunes et pour les étrangers au pays, l'histoire de cette époque. En juin 1983, François Mitterrand a inauguré celui de Saint-Brisson, installé dans un des bâtiments du Parc régional du Morvan. Et, en 1991, s'est ouvert celui de Saint-Honoré-les-Bains, consacré au maquis Louis. Ils font revivre l'occupation, la Résistance, la libération, des journées glorieuses et tragiques, et notamment cet été 1944 de flammes, de sang et de soleil.

Devant le quartier Bernard Gangloff, des enfants de troupe de l'Ecole militaire d'Autun. Pendant la Seconde guerre mondiale, les enfants de troupe, retirés dans le département de l'Ain, s'illustrèrent dans la Résistance.

Oh! Ce douloureux spectacle! Les hommes sont là, M. Balloux à quelques mètres des marches, il a esquissé un geste désespéré vers les siens; sous le porche, c'est une vision d'enfer, des corps déchiquetés, recroquevillés, méconnaissables, achevés avec des grenades, le sang a jailli partout (...) Nous poussons des hurlements : «Mais où est le père de mes enfants?» A gauche du porche, cinq corps sont allongés et fusillés, mon mari est là, quelle douleur m'étreint! Alors c'est vrai, ils sont tous morts. Nicolas Leprun est tué sur la pelouse, il a voulu fuir vers sa mère à l'Huis-Gally.

Mme Balloux et moi-même courons chercher M Autixier en criant. Les hommes au retour nous disent qu'ils ont découvert M. le curé assassiné dans le clocher; il est à moitié dévêtu; MM. Dizien et Lapage le descendront difficilement. Cet homme, bon, modeste, a dû beaucoup souffrir, seul là-haut. Les hommes accourus des hameaux transportent les corps des malheureux, dont nous lavons le visage et les mains avec l'eau des bénitiers.

(Lucile Pichot, veuve de fusillé,
institutrice à Dun-les-Places en 1944).
«La mémoire de Dun-les-Places 1944-1989»,
par Marcel VIGREUX (p. 17)

A l'entrée est du Morvan, le maquis Bayard.

La croix gothique de Dun-les-Places s'insère parfaitement dans le cadre de cette commune martyre.

Au musée Pompon de Saulieu, cette affiche rappelle les festivités qui se déroulaient déjà dans la commune voici quelques décennies.

Le Poids des Traditions

Non loin de l'église gothique de Saint-Père-sous-Vézelay, la batteuse, comme autrefois.

La chaumière de Cervon au hameau de Certaines.

Souvent construite en un lieu abrité du vent du nord - froidure oblige - la maison morvandelle avait une façade orientée au sud, pour ne rien perdre, au printemps, des premiers rayons du soleil. Elle avait un toit pointu - climat pluvieux et neigeux oblige - et peu de fenêtres, mais des murs fort épais. Un rez-de-chaussée seulement, avec une unique pièce à l'intérieur, aux poutres mal équarries, noires et enfumées, qui faisait office à la fois de cuisine, de salle à manger et de chambre à coucher : les lits étaient dressés dans les angles, des lits hauts qu'on ne pouvait guère atteindre qu'en montant sur une chaise ou sur un coffre.

Le toit était en chaume - toujours pour protéger du froid. Ce chaume était de la paille de seigle bien égrenée, fixée par paquets sur les lattes avec des mottes de terre retournées. Il pouvait durer entre trente et quarante ans; il était jaune les premières années, et grisâtre avec quelques taches de mousse verte au fur et à mesure que le temps passait.

Il n'existe plus guère de chaumière en Morvan. On peut encore en voir quelques-unes, en bien mauvais état, par exemple au hameau de Certaines, dans la commune de Cervon - ou au hameau de la Fiole, dans la commune de Planchez, mais cette dernière est en ruine.

Jeunes et vieux se côtoyaient dans la même maison : la solitude, l'intimité n'existaient pas. Et, lors des soirées frileuses, on se repliait sur des réunions entre voisins, autour des grands feux de bois dans la cheminée. On bavardait, mais aussi on travaillait : les hommes faisaient des paniers et des balais de genêts, ou dépouillaient le maïs, ou cassaient des noix pour l'huilerie, et les femmes cousaient ou raccommodaient. On mangeait du boudin, des poires d'hiver, des noix, des châtaignes, et on buvait aussi - parfois un peu de cette eau-de-vie qui pouvait titrer jusqu'à 50°.

Et l'on racontait des histoires, où il était question non seulement de fées, mais encore de loups-garous, de revenants, et de spectres traînant des chaînes dans de vieux châteaux hantés. Il faut dire que le pays se prêtait à ces sombres récits : en Morvan tout n'est-il pas plus mystérieux qu'ailleurs?

J'ai toujours pensé qu'au temps héroïque,
D'un grand coup de pied, un jour, un Titan
Fit rouler un bloc du sol d'Armorique,
Jusqu'à la Bourgogne, et fit le Morvan.

Des rochers de granit rose
Qu'un ruisseau flûtiste arrose
En courant sous les grands bois;

Des genêts et des bruyères
Fleurissant sous les fougères
Dans le fond des vallons froids.

La nuit, au clair de la lune,
Quelquefois, même, à la brune,
On y voit des Korrigans
Elégants
Qui font tournoyer des fées
De feux follets bleus coiffées.

On y voit des loups-garous
Terribles, hirsutes, roux
Qui circulent.
Auprès des maisons, les chiens
Apeurés, pauvres gardiens,
Hululent.

A la musique du vent,
Qui passe et fouette l'auvent
Que le laboureur prudent
Vient de clore,
Dans le grand lit on attend,
Parmi la plume, haletant,
L'aurore.

Il ne vient de toi, Morvan,
A-t-on dit par jalousie,
Ni bonnes gens, ni bon vent.
Il en vient la poésie
Qui me permit, en rêvant,
D'écrire une fantaisie.

Pierre HUGUENIN

Joueuse de vielle à la fête des myrtilles de Glux-en-Glenne.

Dans chaque village, dans chaque hameau, il y avait un homme qui savait faire beaucoup de choses : il était rebouteux, il connaissait bien le corps humain, et souvent il tenait lieu de médecin.

On faisait confiance aux saints guérisseurs, qui étaient légion. L'Eglise s'était vue dans l'obligation d'assimiler certaines pratiques et certaines croyances : ainsi le culte druidique des sources et des fontaines fut-il placé sous le vocable de saints qui conservèrent, ou plutôt reprirent à leur compte, le même pouvoir de guérison. On pouvait faire appel à tous les saints du paradis : chacun avait sa spécialité et son pouvoir de guérir l'une des maladies.

La superstition avait également sa place dans le comportement. René Prétet, qui était natif d'Anost, nous a signalé, dans l'un de ses ouvrages, que les parents d'un enfant atteint de la diphtérie - on l'appelait autrefois le croup - allaient à l'église du bourg recueillir sur le front de la statue de Berthe de Roussillon un peu de poussière qu'ils mêlaient ensuite au lait du petit malade. Ou bien ils portaient un lange de l'enfant à la fontaine de Fauboulin, dans la commune de Lavault-de-Frétoy : si le lange flottait à la surface de l'eau, on pouvait espérer la guérison.

Superstitions, dévotions et pélerinages : Luc Hopneau leur a consacré tout un ouvrage dans lequel il évoque les pratiques pseudo-médicales et le recours aux plantes. Depuis l'époque gauloise, il était entendu que le gui guérissait tout, y compris la stérilité... On utilisait aussi les animaux, crapauds, serpents, escargots, limaces, taupes : pendues autour du cou des enfants, les pattes de taupe favorisaient la sortie des dents.

Il a fallu un réel courage aux médecins et chirurgiens de la fin du XIXe siècle pour mettre fin à un certain nombre de ces pratiques désuètes et illusoires et faire reculer l'ignorance.

Quelques mots sur les plantes morvandelles, considérées sur le plan utilitaire.

Jusqu'à une époque assez récente, le Morvan vivait dans une sorte d'économie fermée, d'autarcie régionale et quasi communale : les habitants vivaient de peu, et la cueillette des plantes avoisinant leur maison servait à la consommation familiale ou, plus rarement, alimentait la vente sur les marchés des proches chefs-lieux de canton. C'est ainsi que l'on utilisait la saponaire et la racine d'iris pour les lessives, les mousses et les sphaignes des étangs pour constituer de la tourbe, la fougère mâle à des fins pharmaceutiques, pour se débarrasser des vers intestinaux. La digitale rose était diurétique et elle avait un effet tonique sur le coeur; la reine-des-prés était à la fois diurétique et antirhumatismale; et, bien sûr, le genêt était indispensable à la fabrication des balais.

Puis, peu à peu, ce petit commerce des plantes à pris une certaine dimension. Aujourd'hui, on assiste à une certaine, quoique toute relative, rationalisation. Le ramassage individuel se poursuit, mais il est doublé par un ramassage effectué sur une plus grande échelle : c'est ainsi que les enfants des écoles sont invités à coopérer, et l'on peut voir, les mercredis de beau temps, garçonnets et fillettes, encadrés par leur maîtres et leurs maîtresses, s'adonner à la cueillette. La vente se fait à des herboristeries, à des pharmacies homéopathiques, à des laboratoires.

Les champignons sont livrés aux restaurateurs, et parfois expédiés jusqu'à Paris. Les houx sont vendus aux fleuristes, et les myrtilles font l'objet, dans le sud du Morvan, et plus particulièrement dans le massif du Haut-Folin, de ramassages qui se révèlent parfois abondants.

A Montsauche, dans l'atelier de conditionnement de Morvan-Plantes, des sacs de simples, qui sont des plantes médicinales.

Une mention particulière doit être faite de l'écorce de bourdaine. C'est un arbuste qui pousse dans les friches : à la fin du printemps et au début de l'été, on ramasse cette écorce, utilisée en médecine comme laxatif. Autrefois son ramassage constituait un revenu non négligeable des foyers modestes.

Ces traditions ancestrales sont donc demeurées au goût du jour, et le Parc naturel régional du Morvan encourage depuis quelques années le développement de la production des plantes médicinales et aromatiques. Trois coopératives se sont créées, dont l'une d'elles, Morvan-Plantes, qui rassemble des professionnels, est installée à Gien-sur-Cure avec un atelier à Montsauche, et elle joue un rôle important dans ce domaine.

Autrefois, les Morvandiaux - ceux qui ne travaillaient pas le bois ou la terre - étaient charrons, bourreliers, tisserands, sabotiers. Les perruquiers étaient souvent des amateurs - ils n'officiaient guère que le dimanche matin - et les maréchaux ferrants donnaient, devant les enfants toujours fort intéressés, leur séculaire spectacle de fer et de feu.

Ils se faisaient remarquer, les Morvandiaux, par leur ardeur au travail, et en même temps par leur penchant pour l'économie : jamais de dépenses inutiles.

Pourtant, les mendiants étaient bien accueillis : on les hébergeait dans les fermes, on leur donnait le boire, le manger, et le coucher dans la grange.

Pas de dépenses inutiles, non. Mais il y avait des dépenses jugées nécessaires. Pour les noces, par exemple. La fête durait plusieurs jours, et des dizaines et des dizaines de personnes étaient invitées. C'était le prétexte à d'abondantes ripailles et à de copieuses beuveries - et on dansait dans la grange.

Autre occasion de fête et de libations, mais dans le travail : en été, quand la moisson était terminée et le seigle rentré, on célébrait la *«pouèlée»*.

Quant au cochon, on le tuait en hiver - pour éviter les mouches - on le débitait et on le mettait au saloir, afin d'avoir à manger pour de longs mois. Et toutes ces opérations constituaient, dans le village, un événement.

François Dumarais, restaurateur à l'hôtel «Le Relais des lacs» de Planchez, présente ici un ensemble des mets traditionnels morvandiaux, tels qu'ils sont décrits en page 82.

Les «Journées gourmandes» de Saulieu : le sérieux dans la présentation des produits régionaux.

Plusieurs fois par an, mais au moins une au printemps et une à la fin de l'été, les femmes faisaient la lessive - la *«bue»* - dans une énorme marmite, et le détersif utilisé était la cendre de bois. Travail harassant, mais ces journées avaient un peu une allure de fête : elles évoquaient le renouveau dans un linge et des vêtements rajeunis et mis à sécher sur le pré après le rinçage.

Réjouissances encore pour les véritables fêtes, comme celle des *«bordes»* - laquelle, il faut le reconnaître, n'était pas spécifiquement morvandelle, puisque suivie également dans d'autres régions proches. Un grand feu - le *«borde»* - était allumé sur une colline peu avant le Carême. On dansait autour de ce feu, et le garçon qui parvenait à passer par-dessus les flammes sans se brûler était le gagnant de la soirée. Que gagnait-il, en vérité? Peut-être le coeur d'une belle.

C'est probablement parce qu'il a été, durant des siècles, presque isolé des régions voisines, que le Morvan a conservé si longtemps ses traditions. Mais aujourd'hui, à l'heure du jet, de l'ordinateur et de la robotisation, que deviennent-elles? Se perdent-elles? N'ont-elles pas tendance, ici comme ailleurs, à se dissoudre?

Des gens luttent pour leur maintien, voire pour leur renaissance. Ainsi voit-on, lors des mariages, des cortèges précédés de joueurs de vielle sillonner les chemins de campagne. Les noces ne sont plus accompagnées de pantagruéliques repas à la maison, mais on va finir la journée dans un bon restaurant.

Gastronomie morvandelle : citons pêle-mêle, dans un patchwork qui peut paraître un peu curieux, la potée, le jambon à la crème, le civet d'oie, l'omelette au chou, la tourte, les truites en dame blanche, le cul de veau à la clamecycoise, les crépiaux aux pommes - les crépiaux sont des crèpes épaisses - la galimafrée à la Vauban. Si l'on en croit le dictionnaire, la galimafrée est un *«mets peu appétissant»*; pourtant l'épaule de mouton hachée avec sauce ravigote est une chose excellente, demandez plutôt à votre restaurateur.

Cuisine un peu lourde peut-être, plus nourrissante que succulente? Mais n'oublions pas, quand même, que Saulieu est l'une des capitales françaises de la gastronomie.

Elle le doit à sa situation sur la route de Paris à Lyon, où elle était un important relais de poste. Rabelais, qui s'y enten-

La fête de la batteuse à Planchez et celle des moissons à Saint-Père-sous-Vézelay. Ces fêtes sont le prétexte à une résurgence des traditions agricoles ancestrales.

dait, avait déjà fait son renom, et Mme de Sévigné, désireuse elle aussi - elle était curieuse de tout, la célèbre marquise - de connaître les délices de cette localité, s'y arrêta, en 1677 très exactement, y mangea, y but aussi. Elle but un peu trop de vin de Bourgogne, car elle avoua par la suite s'être grisée. Elle écrivit en ces termes à sa fille : *«Ils sont si longtemps à table que, par contenance, on boit, et puis on boit encore, et on se trouve avec une gaieté extraordinaire».* Une légende veut - mais, comme toutes les légendes, elle est à la fois belle et fausse - qu'elle ait offert, pour se faire pardonner cette soirée de libations, la pietà polychrome que l'on peut voir en la basilique Saint-Andoche.

Les hôteliers de Saulieu ont maintenu la tradition, et nombreux sont les établissements qui proposent leurs services le long de la Nationale 6. Quelques-uns ont connu une réputation méritée. Faut-il rappeler le nom du célèbre Alexandre Dumaine? Aujourd'hui son successeur, Bernard Loiseau, a repris le flambeau - et la queue de la casserole - et il reçoit des V.I.P. du monde entier.

A la fête des myrtilles de Glux-en-Glenne, l'un des nombreux groupes folkloriques morvandiaux.

A Saulieu se déroulent, au mois de mai de chaque année, les *«Journées gourmandes du grand Morvan»* : une foire-exposition qui attire visiteurs français et étrangers.

La vielle, l'instrument de musique-type du Morvan - des cordes, des touches, une roue à manivelle, et une décoration de pierres précieuses - est, tous les ans en août, fêtée pendant plusieurs jours à Anost.

Et, comme la cornemuse est aussi un instrument fort répandu, la commune d'Anost - encore elle ! - organise, en été, pendant plusieurs semaines, une exposition des cornemuses d'Europe.

Certaines associations tentent de faire revivre les veillées d'autrefois, mais on doit surtout faire état de l'action menée par l'une d'entre elles, qui s'appelle *«Laï Pouèlée»* et dont le siège est à Château-Chinon : la *«Relève des conteurs»* vise à recenser tous les conteurs du Morvan - et ils sont nombreux.

Remettra-t-on en vigueur une coutume qui était très suivie autrefois? Dans les villages, les noces étaient saluées de coups de fusil tirés en l'air - pour éloigner le mauvais sort. A ce propos, on raconte une histoire vraie, qui s'est passée quelques années avant la Seconde Guerre mondiale : un ministre - non Morvandiau - épousait une personne originaire du pays et, à la sortie de l'église, des coups de feu furent tirés, à la grande surprise du marié, qui put croire un instant à un attentat.

Le patois : qu'en dire? D'aucuns affirment qu'il a une origine uniquement celtique, d'autres qu'il dérive également du latin. Il est bien difficile de prendre une position tranchée, d'autant qu'il n'existe pas un patois, mais bien des patois, légèrement différents d'un village à l'autre. Au XIXe siècle, Chambure a eu le mérite de rédiger un *«Glossaire du Morvan»*, et, en 1979, un professeur à la Sorbonne, Claude Régnier, a écrit trois volumes sur *«Les parlers du Morvan»*.

Une Université rurale morvandelle s'est créée voici quelques années, et des stagiaires ont suivi, à la Maison du Beuvray de Saint-Léger-sous-Beuvray des cours de morvandiau. Les organisateurs parlent de *«langue morvandelle»* et non de patois - un mot qui, selon eux, a pris une connotation un peu péjorative. Leur langue régionale, ils la considèrent comme un morceau de leur patrimoine, car elle permet de dire certaines choses avec une émotion qu'il n'est pas possible de retrouver avec le français.

Autre initiative récente : une Maison du seigle existe à Ménessaire, et le maire de la commune se plaît à la faire visiter aux touristes et aux gens de passage. Le seigle est montré sous son double aspect alimentaire et utilitaire : il servait pour la couverture des chaumières, et il intervenait dans la fabrication d'objets quotidiens, tels que, par exemple, les paniers.

C'est là le premier maillon d'une chaîne de *«maisons à thème»* d'un Ecomusée éclaté. Des projets en cours permettront bientôt de voir une maison de l'élevage et du boeuf charolais à Moulins-Engilbert, une autre consacrée aux nourrices et aux enfants assistés à Montsauche, une à la galvache à Anost et une à la chasse à Planchez.

Considéré comme un «monument historique» par les Japonais, le sabotier de Gouloux, Alain Marchand, fait découvrir la tradition des sabots au monde entier.

La célèbre chouette de François Pompon.

Le Morvan des Touristes : La Côte d'Or

Massif, imposant, dominant un parterre de fleurs, le taureau de François Pompon se laisse admirer par les touristes.

Le Lyonnais Henri Béraud écrivait, voici une soixantaine d'années : *«Ce qui est bon, le matin, dans une petite ville française, ce n'est pas, comme le proclament les imbéciles et les guides cartonnés, d'aller visiter «les environs pittoresques, le château admirablement situé et l'église remarquable bâtie dans la seconde moitié du XIIIe, avec une façade du XVIIe». Le plaisir, c'est de respirer à l'aube l'air d'une ville qui a bien dormi, et de se promener sans but. C'est aussi, je pense, d'aller dans le jardin public, où déjà courent quelques enfants, de s'appuyer aux claires-voies et, de là, regarder les servantes debout sur l'appui des fenêtres et frottant les carreaux.»*

On peut ne pas être d'accord avec l'auteur du *«Martyre de l'obèse»*. Certes, dans un ouvrage qui n'a nullement la prétention d'être un guide, il ne convient pas d'insister outre mesure sur tous les aspects des bâtiments, monuments et sites, il faut également regarder vivre la population, et l'écouter raconter. Mais on ne doit jamais perdre de vue le côté touristique qui, au premier chef, intéresse les personnes venues d'ailleurs.

Les quatre prochains chapitres mettront donc l'accent à la fois sur les trésors que peuvent receler villes et villages, et aussi sur les anecdotes, qui constituent une des composantes de la vie passée ou présente du Morvan.

La Côte d'Or ne fait qu'écorner le Morvan, comme le Morvan ne fait qu'écorner la Côte d'Or, avec une vingtaine de communes incluses dans le périmètre du Parc naturel régional - sises de part et d'autre de la Nationale 6, et groupées autour d'un centre : Saulieu.

Un centre qui, malgré son renom, n'est guère peuplé que de 2 500 habitants. Une petite ville où vit encore le passé : elle se rappelle avoir été le siège d'un collège de druides, ses tours demeurées debout visaient autrefois à la défendre contre les envahisseurs, et, dans certaines rues, quelques statues de Vierges bourguignonnes étaient censées protéger les habitants.

Etape gourmande - on l'a vu précédemment - Saulieu compte une quinzaine d'hôtels-restaurants, tous plus accueillants les uns que les autres. Mais la ville est célèbre aussi par sa basilique Saint-Andoche.

La masse un peu sévère domine une charmante place portant le nom du docteur Marcel Roclore, qui fut président du

A Saulieu, l'un des grands maîtres de la gastronomie française : Bernard Loiseau.

La basilique Saint-Andoche domine la ville et lui apporte lumière et spiritualité.

Conseil général et ministre. Décédé en 1966, il fut de ceux qui surent promouvoir le développement du Morvan.

L'extérieur ne séduit pas d'emblée : les tours rectangulaires apparaissent un peu massives, et celle de gauche n'a rien gagné, au XVIIIe siècle, de se voir coiffée d'un dôme et d'un lanternon.

Mais l'intérieur est élégant. Encore que le choeur soit aussi du XVIIIe siècle et remplace celui brûlé par les Anglais pendant la guerre de Cent Ans - en 1359 disent les uns, en 1360 disent les autres, mais ne chinoisons pas pour une année - et probablement assez maladroitement restauré. Dans ce choeur, on a adapté des stalles du XIVe siècle. Des panneaux sont ornés de bas-reliefs représentant des scènes bibliques : ainsi une Fuite en Egypte où l'on voit Joseph portant avec lui, tel un Bourguignon, un petit baril de vigneron.

Mais ce sont surtout les chapiteaux de la nef qui attirent le regard. Ils sont soit profanes ou inspirés par la flore, soit liturgiques avec des scènes de l'Ancien et du Nouveau Testament. L'une des scènes les plus remarquables est la Fuite en Egypte, représentée une nouvelle fois dans cette église. Là, Joseph est exténué, Marie anxieuse, et l'âne, tiré par Joseph et monté par Marie et Jésus, montre lui aussi un visage angoissé.

Tout à côté, dans un ancien hôtel particulier à tourelles, dont la cour constitue une sorte de havre de paix hors du temps, se trouve maintenant le musée municipal, qui renferme notamment des oeuvres d'un enfant du pays, le sculpteur animalier François Pompon décédé en 1933. Au cimetière, sur sa tombe, on voit une de ses statues, le Condor. Et, au bord de la nationale, son fameux Taureau.

Un autre personnage est né à Saulieu : l'abbé Claude Courtépée qui, au XVIIIe siècle, sillonna le duché de Bourgogne et en tira d'abondantes descriptions. Il est bien oublié aujourd'hui des dictionnaires et encyclopédies qui ne lui consacrent que quelques mots - quand ils le font - mais sa ville natale a pourtant donné son nom à une rue, la portion de la Nationale au nord de la localité.

Saulieu, ville étape : on y passe obligatoirement, mais, comme on l'a aimée, on y revient. Chaque fois que l'on peut.

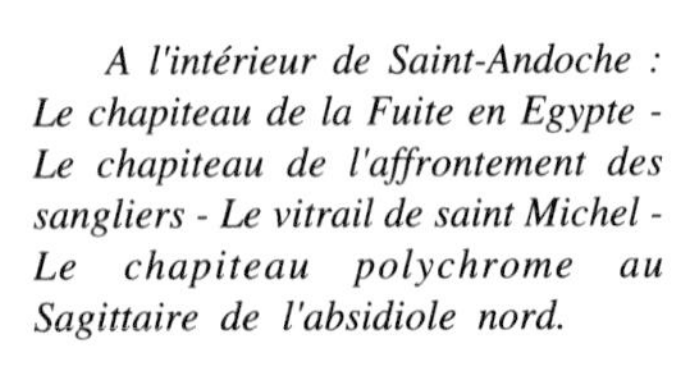

*A l'intérieur de Saint-Andoche :
Le chapiteau de la Fuite en Egypte -
Le chapiteau de l'affrontement des
sangliers - Le vitrail de saint Michel -
Le chapiteau polychrome au
Sagittaire de l'absidiole nord.*

Prodigieux Morvan, qui grimpe depuis Avallon jusqu'au nord de Saulieu et dont les différents paliers offrent des terres propices aux cultures céréalières et à l'élevage, annonçant les riches pâturages de l'Auxois voisin et du pays d'Arnay; ici, sur les mornes collines, paissent des boeufs dont la réputation n'est plus à faire et qui, le plus souvent achetés au coeur du Morvan, s'en iront, gros et gras, nourrir Paris. Formidable pays qui, après avoir donné le sein aux Parisiens grâce à ses légendaires nourrices, les avoir chauffés par ses bois qui gagnaient la capitale par flottage, continue aujourd'hui à leur assurer le meilleur de leur pitance.

Michel HUVET

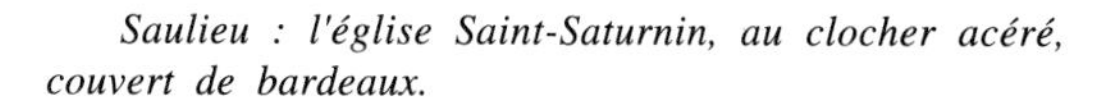

Saulieu : l'église Saint-Saturnin, au clocher acéré, couvert de bardeaux.

A peine ridé par le vent, l'étang de La-Roche-en-Brenil.

A La-Roche-en-Brenil, le château de Montalembert.

La localité de Saulieu était située sur la via Agrippa qui, au temps des Romains, reliait Lyon à Boulogne. La Nationale 6 en a suivi à peu près le tracé. Avant d'être détrônée par l'autoroute, elle connut des heures de gloire, et les villages traversés ont conservé certains aspects de l'époque des diligences : hôtels et relais sont demeurés, quelques-uns toujours actifs, d'autres abandonnés de leurs propriétaires et n'offrant plus aux regards des voyageurs raréfiés que des façades tristement éteintes.

A Rouvray, l'église du XIVe siècle est peut-être moins remarquée que la curieuse et unique rue : celle-ci est l'ancienne Nationale avant la création de la petite déviation évitant le bourg.

La Roche-en-Brenil propose aux touristes la vue extérieure du château ayant appartenu à Charles de Montalembert, l'un des défenseurs, au siècle dernier, du catholicisme libéral.

Tout autour de La Roche-en-Brenil, c'est la *«Suisse morvandelle»*. Y paissent les bovins charolais - oui, charolais - qui tachent de blanc le vert des prairies. Ces bovins sont une des ressources de la région, une région qui, bien que située en bordure, se veut morvandelle dans l'appellation de ses communes et de ses hameaux : Dompierre-en-Morvan, Bierre-en-Morvan.

Au sud, il y a Liernais, chef-lieu de canton, et surtout Bard-le-Régulier.

Le village est ainsi nommé en souvenir d'un prieuré de chanoinesses. Le monastère périclita au cours des siècles, et les bâtiments désertés s'écroulèrent. Aujourd'hui ne reste que l'église, une église au clocher octogonal à deux étages. A l'intérieur, les stalles sont sculptées, jusque sur les accoudoirs et les miséricordes, de personnages amusants : on sait que les miséricordes sont des petits sièges situés sous les bancs amo-

Paisible au fond de son vallon et au bord de son étang, le moulin de Saint-Andeux.

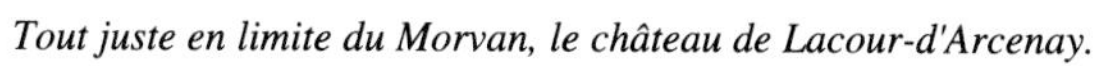

Tout juste en limite du Morvan, le château de Lacour-d'Arcenay.

Le château de Ménessaire, avec ses tours et ses toits aux tuiles polychromes.

Oui, oui, c'est bien le nom d'un village du Morvan.

vibles des stalles et qui permettaient aux moines les plus âgés de s'asseoir pendant les offices tout en ayant l'air de demeurer debout.

Un autre village s'appelle, curieusement, ... Saint-Martin-de-la-Mer, et les érudits sont divisés - comme bien souvent - sur l'origine de ce nom. L'un de ses hameaux porte, lui, le nom de ... Mâcon, comme le chef-lieu de la Saône-et-Loire.

La Saône-et-Loire, du reste, n'est pas loin de là, et le village de Ménessaire en sait quelque chose.

Ménessaire, en Côte-d'Or, est coincé entre la Nièvre et la Saône-et-Loire. C'est une enclave, un peu comme Valréas qui, situé dans le sud de la Drôme et entouré par la Drôme de tous côtés, appartient, pour des raisons historiques tout à fait valables, au département du Vaucluse, car il dépendait autrefois du Comtat-Venaissin. Pour Ménessaire, c'est un peu plus spécieux : il y a eu, voici déjà quelque temps, un échange de terrains,

Dans l'église, la tombe d'un chevalier, avec une inscription difficilement déchiffrable. L'épitaphe de messire de Braziers, mort en 1305, se traduit ainsi, en français actuel : «Toi qui me regardes, je fus ce que tu es et tu seras ce que je suis. Priez pour moi. Amen»

Bard-le-Régulier et son clocher octogonal, noyé dans le légendaire brouillard du Morvan.

Eglise de Bard-le-Régulier : les stalles sculptées.

et le hameau de Buis a été rattaché à une commune saône-et-loirienne, Chissey-en-Morvan. Comme dit Philippe Landry, il faut bien compliquer un peu la vie du pauvre monde...

Ménessaire possède, outre sa Maison du seigle - à laquelle il a déjà été fait allusion - un château dont l'un des toits est en tuiles polychromes, donc typiquement bourguignon. Longtemps abandonné aux intempéries et au pillage, le bâtiment vient d'être rénové par son propriétaire, lequel a fait appel à des jeunes bénévoles venus d'un peu partout en Europe. Et ce sont - joie de cette Europe enfin retrouvée après quarante-cinq années de rideau de fer - deux étudiants estoniens qui ont mis au jour un plafond à la française vieux de plusieurs siècles.

Le Morvan des Touristes : l'Yonne

Ce chapitre sur le département de l'Yonne, faut-il le commencer par Avallon ou par Vézelay? Quinze kilomètres à peine séparent les deux localités. Elles sont belles l'une et l'autre, et l'une et l'autre chargées d'histoire : Avallon, la sous-préfecture, la ville administrative, la ville des foires et des marchés du Morvan, la ville des affaires - et Vézelay, la colline éternelle, la colline sainte, la colline des pélerins, le lieu où souffle l'esprit.

Décidons-nous pour Vézelay. Et là, ne pas craindre les superlatifs. On ne doit jamais abuser des superlatifs, sinon il n'existe plus de relativité. Mais, pour un bâtiment et un site classés par l'UNESCO dans son patrimoine culturel et naturel, le panégyrique est permis.

Vézelay, au même titre que Rocamadour, le Mont-Saint-Michel et Fourvière, est l'un des sommets de la chrétienté.

Pour le visiter, il faut prendre son temps - une bonne demi-journée - laisser sa voiture dans le bas de l'agglomération, et ne pas craindre de monter à pied vers la basilique. Combien, depuis plus de dix siècles, combien de dizaines, de centaines de millions de personnes ont gravi cette colline? Si l'on songe qu'actuellement ce village de moins de 600 habitants reçoit 600 000 visiteurs et pèlerins par an - d'aucuns parlent même de 800 000 - on a le vertige devant le chiffre que l'on découvre.

On rencontre des amis presque à chaque pas. Dans telle maison, Romain Rolland vécut les dernières années de sa vie. Dans telle autre a séjourné Max-Pol Fouchet. Une troisième servait de résidence d'été au compositeur Inghelbrecht. Jules Roy y habite encore, qui écrivit récemment *« Vézelay ou l'amour fou»*.

Une autre maison a vu naître Théodore de Bèze, l'un des compagnons de Calvin : curieuse fantaisie du destin, qui permet au village de se flatter d'un certain oecuménisme, d'autant plus qu'il demeura, pendant les guerres de religion, plusieurs années aux mains des huguenots. Du reste, la chapelle des Ursulines est un ancien temple protestant.

On finit par arriver au bâtiment principal qui vous écrase de sa majesté : c'est la plus belle église romane de Bourgogne, et elle dépasse Autun, Paray-le-Monial et Tournus.

Avant de pénétrer, on en fait le tour. C'est long.

C'est long, car cette basilique ne mesure pas moins de 120 mètres. On musarde un peu sur la terrasse, on s'attarde quelques minutes devant la table d'orientation, on jette un regard sur l'ancien dortoir des moines, aujourd'hui musée lapidaire. Puis on entre.

Non, pas encore. On se remémore l'histoire, la décision, au IXe siècle, de Girart de Roussillon de créer à Vézelay, au bord de la Cure, un monastère. Ce faisant, il n'avait pourtant pas la moindre prescience de l'immense essor que devait prendre ce lieu.

Peu après, les religieux quittèrent les bords de la rivière et se réfugièrent au sommet de la butte, plus facile à défendre.

Un peu plus tard, le monastère accueillit les reliques de Marie-Madeleine, la pécheresse qui aima Jésus et qui avait fini ses jours dans le Midi de la France : ce fut pour éviter que ces reliques ne tombent entre les mains des Sarrasins qu'elles furent amenées à Vézelay.

Mais un drame se déroula le 21 juillet 1120, au cours de la nuit précédant la fête de Sainte-Madeleine : un incendie se déclara, et plusieurs centaines de personnes furent carbonisées ou asphyxiées.

Nombre de rois de France y vinrent en pélerinage, et Saint Louis plusieurs fois - quatre, nous dit-on. Et aussi saint François d'Assise, et l'archevêque de Cantorbéry, Thomas Becket, qui tonna du haut de la chaire contre le roi d'Angleterre Henri Plantagenet. Le village compta jusqu'à 15 000 habitants, et la communauté religieuse était composée de huit cents moines.

Mais peu à peu, au cours des siècles, l'enthousiasme tomba : d'aucuns firent valoir que les reliques n'étaient peut-être pas celles de la sainte, nonobstant telle bulle pontificale qui affirmait le contraire. Les guerres de religion, comme on peut s'en douter, n'arrangèrent rien : d'inévitables déprédations furent commises.

Lorsque Prosper Mérimée, en 1834, vint à Vézelay - il n'était pas seulement écrivain, il exerçait aussi les fonctions d'inspecteur des monuments historiques - il nota l'état de délabrement dans lequel se trouvait l'édifice. Et il eut le mérite de faire appel à celui qui devait restaurer tant et tant de nos richesses architecturales : Viollet-le-Duc. Vézelay fut l'un de ses premiers chantiers : il ne mit pas moins de dix-neuf ans pour venir à bout de sa tâche.

Inégalement conservés, les anciens remparts de Vézelay permettent encore aux visiteurs d'admirer de splendides panoramas.

Vézelay : la façade de la basilique n'offre qu'une préfiguration des richesses qui se trouvent à l'intérieur.

Nulle couleur que cette émanation d'une myrrhe spirituelle dans le silence intense de la lumière. Et moi, je me tiens debout, et je regarde, et je prie au milieu de cet être blond!

Mais le lieu n'est pas désert comme d'abord on l'aurait cru. Il n'y a qu'à lever la tête pour devenir conscient de tout un peuple, qui, au sommet de chaque colonne, se livre à l'occupation mystique. Sur deux étages se superposent et se prolongent les rangées de ces canéphores barbares, qui, au lieu d'acanthes et de la gerbe éleusinienne, supportent, sur les quatre faces de cette coiffure que leur fait le chapiteau, un trophée confus d'événements. Toute l'Histoire Sainte s'y mêle au rêve, à la légende et à cette liturgie campagnarde que l'on pourrait appeler le Propre du Temps. Des quatre côtés, sous le poids du sens inclus, cela se penche et se déverse sur nous. On fauche, on presse la vendange, on dort, on fait de la musique, on ramasse les grappes et les essaims, Adam et Eve voisinent avec la punition de l'avare et du calomniateur, les Israélites adorent le Veau d'Or, Absalon s'accroche par les cheveux à son chêne, le cor de saint Eustache répond à celui de saint Hubert, et le son en parvient jusqu'à nous, mêlé à celui incessant du maillet qui tape sur le ciseau. Car tout cela est sorti prodigieusement ensemble du même atelier, de la même imagination et de la même piété. Ces corps contournés, mais c'est le sarment de nos vignes qui, tout à l'heure, sur les maisons de la vieille rue se mêlait à l'hélice des escaliers, et ces grosses têtes rondes, nous n'avons qu'à les peindre en rouge pour les voir encore aujourd'hui sur les épaules des vignerons de la Bourgogne. Mais n'exagérons point le côté naïf et rustique de cet art. Ces tailleurs de pierre à qui sans doute étaient mêlés beaucoup de clercs et de moines, ils savaient leur Histoire Sainte, c'est le cas de le dire, sur le bout du doigt.

Paul CLAUDEL

Et maintenant, entrons.

La première chose qui frappe, c'est la lumière. La luminosité. Elle exalte et apaise à la fois, d'autant que s'unissent à elle la prespective et l'espace. La nef et les collatéraux sont trois chemins qui mènent au choeur où, dans un silence lui aussi intense, éclate encore un bouquet de lumière.

Au printemps 1993, les éditions Zodiaque ont publié un remarquable ouvrage de Raymond Oursel sur Vézelay. L'auteur a intitulé fort justement son livre «*Lumières de Vézelay*», et il évoque «*ce vaisseau lumineux, pénétré de ciel, où tout est grâce, détente, sourire et parure*». Il fait remarquer à ce sujet une particularité curieuse de la basilique, qui n'avait pas été tellement perçue avant ces dernières années, et qui fut notée par l'un des franciscains chargés de la desserte du sanctuaire, le père Delaure : au moment du solstice d'été, par le jeu des rayons solaires, l'heure de midi projette, au centre géométrique de chaque travée de la nef, une plaque lumineuse sensiblement circulaire. «*Et celle-ci, dix fois répétée, jalonne au sol un chemin de lumière*».

Les chapiteaux historiés sont près d'une centaine - quatre vingt-dix-neuf exactement : cette construction fourmillante évoque toutes sortes de sujets, sacrés et profanes.

Vézelay : le chapiteau du Moulin mystique. Moïse verse le grain que recueille saint Paul à travers le moulin marqué d'une croix, symbole du Christ - Lien entre l'ancienne et la nouvelle alliance.

Le narthex de Sainte-Madeleine et son tympan central avec un grand Christ bénissant les apôtres avant leur départ. Au fond la nef inondée de lumière.

Et l'on remarque encore autre chose : sur les voûtes romanes, l'alternance des tons sombres et des tons clairs, une alternance destinée à rompre artistiquement la monotonie de l'architecture.

L'une des autres richesses de Vézelay, ce sont les trois tympans de l'intérieur, ceux du narthex : ils représentent, a pu dire Emile Magnien, *«les plus belles réussites de la sculpture de tous les temps»*. Au portail central, un Christ en majesté, deux fois plus grand que les apôtres qui l'entourent, les bénit avant leur départ pour les régions les plus éloignées, symbolisées par une foule de petits personnages de pierre. De ces mains ouvertes s'échappent justement les rayons qui, répandus sur les disciples, iront, à travers eux, à l'autre bout du monde.

Il faut, avant de quitter Vézelay, descendre vers la chapelle de la Cordelle et voir la croix de bois commémorative, plantée sur un socle de granit, à l'endroit où saint Bernard prêcha la Deuxième Croisade.

Et puis, sur la route, arrêter de temps en temps la voiture, pour voir et revoir encore, accroché à sa colline étroite, et semblable à une carène de navire, le long édifice, lieu de convergence de tant de visiteurs, croyants ou incroyants, qui, le 22 juillet, fête de la Sainte-Madeleine, se pressent encore davantage que les autres jours du printemps, de l'été et de l'automne. L'hiver, le village retrouve le calme, car il y fait froid : n'oublions pas que Vézelay est dans le Morvan.

Avallon : ici on pourrait presque admettre - presque - que l'obèse Henri Béraud avait un jugement assez sain, car il s'agit d'une vieille ville charmante, une ville propre, gaie, une ville qui vit, avec ses commerçants, ses notaires, ses médecins, ses banques, ses marchés et ses foires. Comme les autres villes, bien sûr, mais peut-être mieux que certaines : par une journée de printemps ou d'automne, on se plaît à regarder flâner les gens sur la promenade des Terreaux - et, curieusement à les envier.

Vézelay : l'ancien couvent des Ursulines.

Reconstruite vers 1120, après un incendie, la nef de Sainte-Madeleine symbolise le chemin mystique qui mène à la lumière.

(Pages 104 - 105) La colline de Vézelay, «colline éternelle, colline inspirée».

On se plaît soi-même à marcher, dans les rues bordées de vieux hôtels, jusqu'aux anciens remparts et à la pointe du promontoire : en contrebas, le Cousin, agile comme un moustique, se faufile dans son ravin, à proximité de la route où les voitures apparaissent grosses comme des jouets d'enfant.

On pourrait passer à Avallon et seulement frôler la ville, la manquer, ce qui serait, on s'en rend compte après une première promenade, vraiment dommage; qui donc a écrit que c'était l'une des cités les plus pittoresques de France?

Déjà occupée par les Romains, Avallon eut, par la suite, beaucoup à souffrir des guerres. On raconte qu'au début du XVe siècle, après un siège malheureux, elle n'était plus protégée que par une haie d'épines soutenue par des pieux!

Protection, à l'évidence, fort insuffisante. C'est pourquoi, aussitôt après, elle se hérissa de murailles et de tours de défense, dont la plupart demeurent aujourd'hui : tours Beurdelaine, Gaujard, de l'Escarguet, du Chapitre, de l'Horloge, qui racontent le passé tout en s'ornant de jardins et des massifs fleuris.

Défense, murailles, remparts : on évoque aussitôt Vauban, qui est né à Saint-Léger, à quelques kilomètres. Il ne fut pour rien dans des fortìfications édifiées bien avant lui, mais Avallon lui a rendu hommage et a fait appel, au XIXe siècle,à l'un des sculpteurs les plus célèbres : Bartholdi n'est-il pas, également, l'auteur de la statue de la Liberté à New York et du Lion de Belfort?

L'église Saint-Lazare d'Avallon et le tympan du portail.

Surmontée d'un campanile, la tour de l'horloge à Avallon date du XVe siècle.

C'est dans ces falaises calcaires de Saint-Moré que se trouvent les grottes où furent découverts des restes d'hommes et de mammouths, et des silex taillés.

Près de la tour de l'Horloge se trouve l'église Saint-Lazare. L'intérieur en est un peu sombre - surtout si l'on arrive de Vézelay! Et une curieuse particularité surprend aussi le visiteur : la déclivité du sol, qui n'atteint pas moins de trois mètres entre le seuil et le choeur. Plusieurs statues en bois polychrome retiennent l'attention, ainsi que, à l'extérieur, le portail d'entrée richement décoré.

L'église est dédiée à Lazare car, aux environs de l'an mille, un duc de Bourgogne, Henri le Grand, avait offert des reliques de ce saint. Quelles reliques? Il y en avait une grande partie à la cathédrale d'Autun, elle aussi consacrée au même saint. Alors? C'est simplement, précise un document remis aux touristes par le Syndicat d'initiative, «*un ossement de la partie occipitale du chef*».

L'église Saint-Pierre, curieusement attenante, est désaffectée : s'y tiennent maintenant des expositions.

Le musée de l'Avallonnais abrite un certain nombre de richesses, et il consacre en particulier une place à la préhistoire et à la protohistoire - Arcy-sur-Cure n'est pas si loin - et une autre à la famille Flandin : l'un des membre de cette famille, Pierre-Etienne, fut président du Conseil de la Troisième République. Il est l'oncle de Paul Flandin qui fut de nombreuses années président du syndicat mixte du Parc naturel régional du Morvan.

Une anecdote historique au sujet d'Avallon. Elle est assez peu souvent relatée, et on la trouve dans l'ouvrage écrit par l'abbé Joseph-Félix Baudiau au siècle dernier. En 1589, le duc de Deux-Ponts ou Zweibrücken, dans le Palatinat, passa avec ses troupes à Avallon. Il s'appelait - et sa réputation n'était pas surfaite - Wolfgang le Cruel. Il brûla une partie de la ville et emporta avec lui deux cents bouteilles de vin. On dit que l'abus de ce vin causa sa mort quelque temps après, alors qu'il guerroyait dans le Limousin. Il n'est toutefois pas impossible que ce vin ait été empoisonné par le premier échevin d'Avallon, qui était médecin. Une enquête fut ouverte : elle ne donna rien, car les habitants, qui avaient encore en souvenir l'incendie de leur maisons, surent demeurer muets.

Tournons provisoirement le dos au Morvan et faisons une incursion vers le nord, en suivant le Cousin, qui bientôt se jette dans la Cure, laquelle, quelques kilomètres plus loin, ira rejoindre l'Yonne. Dans la roche calcaire - plus question, ici, de granit - des grottes se sont créées. Celles de Saint-Moré ne sont pas ouvertes au public, mais celles d'Arcy sont visitables.

Des hommes préhistoriques ont vécu là : celui de Neanderthal d'abord, il y a plus de 50 000 ans, et celui de Cro-Magnon, il y a plus de 10 000 ans.

Sur près d'un kilomètre d'une visite-promenade au coeur de la terre, la Grande Grotte se ramifie en différentes salles aux noms animaliers : du Cheval, de l'Hyène, de l'Ours, du Renne, du Loup.

Depuis 1990, de nouvelles fouilles ont été entreprises, et de nouvelles peintures, vraisemblablement magdaléniennes, ont été découvertes.

Cap au sud à nouveau. Près d'Avallon, l'église de Vault-de-Lugny, du XVe siècle, possède des peintures murales représentant, sur plusieurs dizaines de mètres, la Passion du Christ. Dans le même village, le château est aujourd'hui un restaurant quatre étoiles.

Autre église : à Pontaubert. Celle-ci, édifiée par les Hospitaliers de Saint-Jean-de-Jérusalem, est romane, à l'exception du clocher et du porche.

Celle de Saint-Père-sous-Vézelay, gothique, faisait l'admiration de Romain Rolland, qui la qualifiait de *«rosier merveilleux»*. Le clocher à trois étages, restauré par Viollet-le-Duc, est élégant et aéré : *«une véritable symphonie minérale»*, au dire de Christian Thévenot.

Voici que, sur la route entre Vézelay et Clamecy, on arrive au dernier village de l'Yonne. Il s'appelle Chamoux et compte un peu plus de 70 habitants, mais on vient le voir de loin, pour son parc préhistorique imaginaire. Oui, imaginaire.

Il est l'oeuvre d'un peintre et sculpteur d'origine espagnole : Raoul Cardo. Dix hectares dont été transformés, depuis 1980, en un parc éducatif et de loisirs : le *«Cardo-Land»*.

A deux pas des grottes d'Arcy-sur-Cure, les ruines de l'ancien château.

Saint-Père-sous-Vézelay : l'église Notre-Dame, fort bel exemple du gothique bourguignon, se signale de loin par sa fine flèche (XIIIe), son fronton sculpté et son porche du XIVe.

Raoul Cardo a eu une vie bien mouvementée et surtout bien remplie. Il a d'abord été danseur et directeur d'une troupe de ballets, il a joué au théâtre et au cinéma avec des artistes fort connus, de Charlie Chaplin à Charles Trenet, en passant par Bourvil et Brigitte Bardot. Et il s'est reconverti dans la sculpture des animaux préhistoriques. On peut voir ainsi, en béton coloré, un stégosaure, un deinonychus, un squaphonix, un édaphosaure, et bien d'autres animaux curieux qui ne correspondent pas à des données scientifiques exactes, mais sont sortis de l'imagination du créateur. Pourquoi pas? Quand on sait que ce n'est pas vrai, on peut quand même apprécier l'art. Alexandre Dumas trichait avec l'histoire, mais on le savait, et on aimait - on aime toujours - ce qu'il racontait. Pourquoi un artiste ne serait-il pas autorisé à tricher avec la préhistoire?

Voici Pierre-Perthuis, village fortifié, déjà évoqué dans un autre chapitre, avec ses deux ponts superposés. Voici Chastellux - on prononce Chatelu - et son château qui, sur un promontoire, domine la Cure.

Un crochet par Marrault, hameau de Magny, pour voir les étangs et avoir une pensée pour Mélanie qui, désespérée d'être si mal comprise et si maltraitée, alla s'y noyer un jour. Ce n'est pas vrai, cela non plus? Non, ce n'est pas vrai : Mélanie est un personnage du roman de Francis Farley qui s'appelle, justement, *«Les étangs de Marrault»* - mais on a eu autant de peine en

Le château de Chastellux appartient depuis mille ans à la même famille.

En avance sur la mode des dinosaures, Cardo-Land à Chamoux donne, depuis plusieurs années, une vision d'un monde préhistorique dans un ensemble d'attractions bien particulier.

apprenant sa mort que s'il s'était agi d'une personne réelle. Après tout, n'y a-t-il pas eu un certain nombre de Mélanie, tout aussi malheureuses, dans le Morvan de naguère?

Pour donner de Marrault une image plus douce, on peut signaler qu'à cette même époque, Pasteur, le savant, a fait trois séjours au château. Et l'on a bien conservé les dates de ses passages: 1881, 1883, 1890.

Sainte-Magnance, sur la Nationale 6, possède une petite église gothique, à l'intérieur de laquelle se trouve le tombeau de ladite sainte - un tombeau que la plupart des guides s'accordent à qualifier de *«curieux»*. Il renferme le corps de celle qui aurait, avec quatre autres femmes, accompagné au Ve siècle le corps de saint Germain depuis Ravenne en Italie jusqu'à Auxerre.

Des tombes, en voici, et cette fois en fort grand nombre, dans un village sis entre les vallées de la Cure et du Cousin et justement appelé Quarré-les-Tombes. Plus exactement, ce sont des sarcophages. Ils sont encore 112 autour de l'église, mais il y en avait bien davantage autrefois: les habitants se sont servis de certains d'entre eux pour faire des bancs ou des auges, ou tout simplement pour construire leurs maisons.

D'où venaient ces sarcophages? Pourquoi sont-ils là? Des hypothèses se sont développées, se sont opposées. On a dit qu'ils abritaient les corps de soldats morts au cours d'une grande bataille qui aurait été menée contre les Sarrasins. On a dit aussi que Quarré avait été honoré autrefois de la présence d'un saint martyr auprès duquel on se faisait enterrer. On a encore dit que ce pouvait être un entrepôt, un atelier. Il semble bien que l'on penche aujourd'hui pour cette dernière explication: la population se serait spécialisée dans la fabrication de tels cercueils de pierre.

Saint-Léger-Vauban, lieu de naissance du plus grand des Morvandiaux, est célèbre par son musée dont nous avons déjà parlé. L'église, qui porte le nom curieux de Notre-Dame-de-Bien-Mourir, est moderne, et le sculpteur Marc Hénard est de

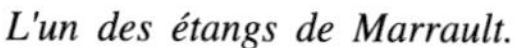

L'un des étangs de Marrault.

Quarré-les-Tombes : autour de l'église, 112 éléments de sarcophages posent des questions aux touristes, mais aussi aux historiens. et aux savants.

Saint-Magnance : le tombeau de la sainte date du XIIe siècle.

ceux qui l'ont décorée : il a fait notamment la céramique bleue et rose du choeur. Quant aux vitraux, ils sont l'oeuvre de l'un des moines de la Pierre-qui-Vire, le père Angelico Surchamp.

La Pierre-qui-vire est un hameau de Saint-Léger. Là, dans la solitude de la forêt, s'élève un monastère créé en 1850 par le père Muard. Il abrite aujourd'hui une centaine de moines, et la communauté est devenue une sorte de village, avec petite usine électrique et deux turbines sur le Trinquelin - nom que prend à cet endroit le Cousin. Les moines font valoir une grosse ferme, et surout la Pierre-qui-Vire est le siège des éditions Zodiaque.

Non loin se trouve le rocher de La Pérouse, à proximité duquel eurent lieu, au cours de la Seconde Guerre mondiale, les tout premiers parachutages d'armes aux maquis du Morvan.

Mais le rocher de La Pérouse a une autre particularité, une particularité de situation. Géographiquement sur le territoire de l'Yonne, il constitue une sorte de balcon depuis lequel s'étend la vue sur le département voisin : le Nièvre.

Le Morvan des Touristes : La Nièvre

Vue générale de Château-Chinon et de ses toits d'ardoise.

Clamecy, depuis le bord de l'Yonne. La tour de la collégiale Saint-Martin domine la cité grâce à sa situation sur un éperon rocheux. Là, les toits ne sont pas encore gris ardoise. On aborde seulement le Morvan.

La Nièvre occupe à elle seule plus de la moitié de la superficie du Morvan : sur la carte, elle se taille la part du lion en ne laissant à chacun des trois autres départements qu'une portion quelque peu congrue.

On peut entamer la visite par le côté ouest, celui des écrivains. Ils furent trois, au siècle dernier et au début de ce siècle, trois hommes aux idées avancées, trois hommes épris de liberté, ce qui est bien dans la tradition de la Nièvre, trois hommes qui, des bords de l'Yonne et du canal du Nivernais, avaient les yeux fixés sur le Morvan : Claude Tillier, Jules Renard et Romain Rolland.

Claude Tillier, l'auteur de *«Mon oncle Benjamin»*, avait bien raison de dire que, dès l'Yonne franchie, le milieu change comme un décor de théâtre ; en quelques minutes on fait deux cents lieues...

C'est donc par Clamecy, cité médiévale, où Claude Tillier et Romain Rolland sont nés et ont leur buste, qu'il faut commencer. Car Clamecy a déjà, malgré ses toits rouges bien différents des toits d'ardoise grise qui sont l'une des caractéristiques du Morvan, des bouffées morvandelles. N'oublions pas que la ville était la capitale du bois : s'y arrêtaient les bûches jetées en amont dans les cours d'eau, et en partaient les trains de bois destinés à l'approvisionnement de la capitale en combustible. Le musée municipal, installé dans l'ancien hôtel de Bellegarde et à côté de la maison natale de Romain Rolland, consacre - outre une assez grande place à des collections de faïences régionales - une salle entière à ce flottage. Sur le pont de l'Yonne, on peut voir la statue de l'un des flotteurs anonymes qui firent la prospérité de la ville et, un peu plus loin, le buste de Jean Rouvier qui, au XVIe siècle, fut l'un des instigateurs de la technique du flottage.

En 1995, Clamecy sera le lieu de rassemblement international du flottage, et des délégations autrichiennes, allemandes, italiennes, espagnoles et nordiques sont attendues.

Les voyages aquatiques constitueraient-ils un privilège des Calmecycois? La ville vit naître aussi Alain Colas, le navigateur solitaire, disparu en mer en 1978.

Rue de la Monnaie, à Clamecy, la maison du Tisserand (XVe)
et sa boutique à colombages.

A mes pieds est ma ville, que l'Yonne paresseuse et le Beuvron baguenaudant ceignent de leurs rubans. ...Elle me fait chaud au coeur chaque fois que je la vois...

Ville des beaux reflets et des souples collines... Autour de toi, tressées, comme les pailles d'un nid, s'enroulent les lignes douces des coteaux labourés. Les vagues allongées des montagnes boisées, par cinq ou six rangées, ondulent mollement; elles bleuissent au loin : on dirait une mer. Mais celle-ci n'a rien de l'élément perfide qui secoua l'Ithacien Ulysse et son escadre. Pas d'orages. Pas d'embûches. Tout est calme. A peine çà et là un souffle paraît gonfler le sein d'une colline. D'une croupe de vagues à l'autre, les chemins vont tout droit, sans se presser, laissant comme un sillage de barque. Sur la crête des flots, au loin, la Madeleine de Vézelay dresse ses mâts. Et tout près, au détour de l'Yonne sinueuse, les roches de Basserville pointent entre les fourrés leurs dents de sangliers. Au creux du cercle des collines, la ville, négligente et parée, penche, au bord de ses eaux, ses jardins, ses masures, ses haillons, ses joyaux, la crasse et l'harmonie de son corps allongé, et sa tête coiffée de sa tour ajourée...

Romain ROLLAND

Romain Rolland est né à Clamecy le 29 janvier 1866. Il est normal que la cité honore l'auteur de «Jean-Christophe», par un buste situé devant le musée municipal.

Malgré son style, le jubé de l'église Saint-Martin à Clamecy est un faux jubé construit par Viollet-le-Duc au XIXe siècle pour étayer certains piliers.

La collégiale Saint-Martin, dont la tour et la façade sont en gothique flamboyant du XIIIe siècle, a été restaurée par Viollet-le-Duc à qui on doit tant de réhabilitations d'ouvrages d'art, aux confins du Morvan comme ailleurs en France.

Il y a, dans le quartier du centre, de vieilles maisons avec des façades à colombages et des encorbellements, des fenêtres à meneaux et des tourelles d'escalier. On peut citer ainsi celle du Tisserand et celle dite du Saint accroupi, dont certains pensent qu'elle a pu servir de jalon aux pélerins de Compostelle.

Dans les rues étroites, on s'attend presque à rencontrer, avec son bonnet, sa *«biaude»* bleue et ses sabots, le héros de Romain Rolland, Colas Breugnon, qui va nous décocher au passage quelque saillie marquée au coin de la plus pertinente et de la plus philosophique sagesse.

Un centre culturel Romain Rolland abrite des meubles, objets et oeuvres de l'écrivain. Il est, curieusement, relié par un passage souterrain au musée municipal de l'hôtel de Bellegarde.

Sur la rive droite de l'Yonne, et peu avant son confluent avec le Beuvron, on trouve le quartier de Bethléem, qui fut celui des flotteurs. Il est ainsi nommé pour avoir été, durant plusieurs siècles, le siège d'un évêché. Evêché *«in partibus»*, bien sûr, car, depuis l'an 1223, le titulaire avait dû abandonner son diocèse de Palestine.

Dans ce quartier, une église moderne a été édifiée en 1927. Pourquoi certains ne l'aiment-ils pas? Le XXe siècle n'aurait-il pas, lui aussi, le droit d'avoir un style?

Encore une oeuvre moderne : à la périphérie, une statue du célèbre sculpteur César - celui des récompenses cinématographiques, celui des *«nominés»*. Elle symbolise l'homme du futur, un homme qui déploie hardiment, en un long drapeau, l'avenir devant lui.

Autre personnage célèbre : Jules Renard. On le retrouve dans deux villages un peu plus au sud : Chitry-les-Mines et Chaumot. Il y passa son enfance et, plus tard, revenu au pays, il devint conseiller municipal de Chaumot, puis maire de Chitry.

Poil-de-Carotte a bien existé : c'était Jules Renard lui-même, qui fut lui aussi roux et malheureux dans ses jeunes années. Mais c'était un écrivain, un vrai. Combien de plumitifs, combien de folliculaires qui aujourd'hui écrivent n'importe quoi n'importe comment devraient méditer cette phrase : *«Le style, c'est le mot qu'il faut; le reste importe peu»*?

A Chitry, ce n'est pas tellement le château, pourtant encore bien entretenu, que l'on vient voir, mais la maison où Jules Renard vécut méprisé et humilié par Mme Lepic.

Trois communes proches - Tannay, Amazy et Metz-le-Comte - ont une église intéressante. C'est la dernière qui frappe le plus, car elle est isolée au sommet d'une butte : bâtie aux XIIe et XIIIe siècles, elle est classée comme *«haut lieu de Bourgogne»*.

Et puis, toujours dans la vallée de l'Yonne et du canal du Nivernais, mais sur la rive droite de la rivière, il y a Corbigny. Est-ce vraiment le Morvan? Oui? Non? Un dicton nous donne la réponse : *«Corbigny n'est pas en Morvan, mais ses poules y vont aux champs»*.

Encore un écrivain, moins connu celui-là, et à peu près oublié : Franc Nohain (1872-1934). Poète et humoriste, il fut le père d'hommes plus célèbres que lui : Jean Nohain et l'acteur Claude Dauphin. Disons, pour les jeunes, qu'il est le grand-père de Jean-Claude Dauphin.

Ancienne ville fortifiée, Corbigny possède une église du XVIe siècle, qui s'appelle Saint-Seine.

Il faut dire quelques mots du canal du Nivernais. Il donne, de cette bordure ouest du Morvan, une image de ce que, de l'autre côté, Henri Vincenot appelait *«la civilisation lente»*. Il n'est

Chitry-les-Mines honore l'un de ses enfants, l'écrivain Jules Renard, qui fut maire de 1904 à 1910.

Construit sur un piton rocheux, dominant l'Yonne et le canal du Nivernais, le château de Chitry-les-Mines.

plus utilisé pour le transport, il est maintenant le domaine du tourisme fluvial, de *«la grande flâne»*. Il ne comporte pas moins de 116 écluses sur les 170 kilomètres de son parcours, et il doit passer plusieurs tunnels. Au sud de Châtillon-en-Bazois, il est fort sinueux : on dit qu'il est le canal le plus sinueux de France.

Entre Chitry et Clamecy, il est franchi par de curieux ponts mobiles qui se lèvent pour laisser passer les bateaux de plaisance. Châtillon est devenu un centre de location de ces bateaux, et ceux qui les utilisent - en grande majorité des étrangers - ont ainsi une vision d'un temps révolu : avec les éclusiers, en buvant un petit coup de blanc, ils peuvent évoquer une vie qui paraît relever d'un autre siècle.

Donc, le canal et l'Yonne franchie - au fait, ils se rejoignent à Montreuillon, et la rigole d'Yonne, sur l'aqueduc haut de plus de trente mètres, alimente le canal par l'eau venue du lac de Pannesière-Chaumard - on s'enfonce dans le vrai Morvan. Vers le lac de Pannesière, justement. Ou celui des Settons. Ou l'un des quatre autres.

Ou vers Château-Chinon.

«Château-Chinon : petite ville, grand renom» : la devise ne date pas du 10 mai 1981, car l'agglomération a toujours joué un rôle dans l'histoire de la région. Perchée au sommet d'une côte sur la ligne de partage des eaux entre la Seine et la Loire - on l'aperçoit de loin, que l'on vienne de Nevers ou que l'on vienne d'Autun - elle a été successivement un oppidum gaulois, un camp romain, puis le siège d'un château fort qui fut rasé en 1561.

Ce qu'il en reste? L'emplacement, que l'on appelle le Calvaire; il domine la ville, ainsi protégée des vents du nord. Le large panorama circulaire que l'on a depuis le Calvaire est l'un des plus beaux du Morvan.

Château-Chinon est une sous-préfecture, mais probablement l'une des plus petites de France. Un peu plus de 2 900 habitants. A peine plus que Colombey-les-Deux-Eglises...

Mais ce chiffre est à l'échelle d'un Morvan peu peuplé. Et, il convient de le rappeler - on l'a vu dans un chapitre précédent - la localité s'appelle officiellement Château-Chinon-

Au sommet d'une colline de 609 m, les trois croix du Calvaire de Château-Chinon.

Château-Chinon : dans la vieille ville, la fontaine moderne de Jean Tinguely et Niki de Saint-Phalle.© ADAGP (Paris 1993)

A Clamecy, «l'homme debout» du sculpteur César, symbole du futur. © ADAGP (Paris 1993)

Château-Chinon : le musée du Septennat. «Il m'a paru naturel que les cadeaux reçus dans mes fonctions de Président de la République fussent accessibles à tous» François Mitterrand.

Château-Chinon : le musée du Costume.

Ville, et il y a, non pas à côté, mais autour, l'encerclant en quelque sorte, un Château-Chinon-Campagne, qui regroupe quelques centaines d'habitants et qui n'a jusqu'à présent jamais voulu fusionner.

Pourtant, Château-Chinon est l'une des rares communes morvandelles dont la population a progressé : avant 1914, elle comptait - et Lucien Hérard, qui y a passé son enfance et son adolescence, aimait à le répéter - 2 222 habitants. Un chiffre qui, disait-il, ne s'invente pas. Cette évolution est due à un effort réalisé sur le plan économique et surtout touristique, et la ville est devenue ce que l'on peut appeler *«un centre urbano-rural»*.

La mairie est installée dans l'ancien Palais de justice, la Caisse d'Epargne est logée dans une ancienne caserne - point laide, il faut le dire - et la piscine se trouve dans l'ancienne prison.

En face de la mairie, une réalisation toute récente : la fontaine à mécanisme, due aux artistes Jean Tinguely et Niki de Saint-Phalle. C'est un mélange de couleurs, de mouvement et de bruit, et tout cela, curieusement, ne moud que du calme et donne une impression de repos. Mais cette fontaine est peut-être encore plus attirante la nuit, illuminée, que le jour.

Château-Chinon - Château comme on dit dans la région immédiate - possède deux musées, que l'on trouve facilement en descendant du Calvaire. Celui du Costume vient d'être réaménagé et ouvert à nouveau au public. Celui du Septennat, tout à côté, montre des cadeaux offerts au président François Mitterrand. Il y a là des meubles et des objets provenant de nombreux pays du monde, et notamment d'Afrique noire et d'Asie. Les souvenirs relatifs au premier septennat se trouvent dans l'ancien couvent Sainte-Claire, et ceux reçus en cours du second dans une partie annexe.

Vers le nord, villages et hameaux apparaissent après souvent de longues traversées de forêts. Voici Planchez : si l'on a le temps de descendre au bord du ruisseau le Martelet, on découvre, dans un site bien poétique, le moulin de la Presle.

Voici Montsauche, dont François Mitterrand fut longtemps le conseiller général. Le village s'appelle aujourd'hui Montsauche-les-Settons, pour bien attirer l'attention sur le lac le plus célèbre et sans doute le plus apte à retenir les touristes : plage, sports nautiques, et, à l'automne, chasse au gibier d'eau.

D'autres villages encore : à l'est Moux et Alligny-en-Morvan, à l'ouest Ouroux-en-Morvan et Lormes - où l'on peut, là encore, profiter de beaux panoramas.

En poussant plus loin, on atteint Bazoches, où l'on aperçoit le château acquis par Vauban après la victoire de Maestricht, Louis XIV ayant enfin daigné le récompenser en lui accordant une somme assez rondelette.

A Saint-André-en-Morvan flotte un autre souvenir : celui de Corot, le peintre, qui y vint à plusieurs reprises et y trouva l'inspiration pour quelques-unes de ses toiles.

On peut revenir, par des routes buissonnières mais toujours en bon état, vers le centre et s'arrêter à Dun-les-Places.

La belle église romane (XIIe) de l'ancien prieuré bénédictin de Commagny.

Le château de Châtillon-en-Bazois domine le canal du Nivernais aujourd'hui utilisé pour la navigation de plaisance.

Comme Planchez et Montsauche, Dun fut brûlé par les Allemands en juin 1944. Un monument, devant l'église, rappelle la mémoire des vingt-sept victimes.

L'église date seulement du siècle dernier. Elle fut érigée grâce aux subventions offertes par un curieux bonhomme du nom de Marie-Augustin-Xavier Feuillet, qui avait été corsaire, avait fait Trafalgar et s'était retiré pour finir ses jours dans la solitude morvandelle. Il demeurait toujours imprégné des aventures maritimes, et il décida de baptiser le grand rocher qui s'élève au nord du village du nom de La Pérouse, le navigateur des mers australes décédé en 1788 et qui avait sans doute marqué son enfance. Quant à l'église, il tint à ce qu'elle s'appelle Sainte-Amélie, en l'honneur de la reine des Français, épouse de Louis-Philippe.

Quelques kilomètres plus loin, c'est Saint-Brisson, où se trouve le siège du Parc naturel régional du Morvan.

Le sud du Morvan diffère quelque peu du reste de la région. Les eaux, par exemple, ne se présentent plus du tout de la même façon : pas de lacs, peu d'étangs, mais des torrents pressés d'aller à la Loire ou à l'Yonne. Le relief est plus accentué, les sommets plus élevés : mont Préneley, mont Genièvre. A noter aussi, du point de vue économique, que le régime de la petite propriété, qui est la règle générale dans le reste du Morvan, s'efface ici au profit d'un régime d'exploitations plus importantes.

On peut partir de Châtillon-en-Bazois, un bourg commerçant qui fut jadis le siège d'une châtellenie et se trouve être aujourd'hui, ainsi qu'on l'a vu précédemment, un centre de navigation de plaisance avec le canal du Nivernais.

Moulins-Engilbert fut également le siège d'une châtellenie, mais du château il ne reste que des ruines, et, des fortifications, que des vestiges. Une église gothique retient l'attention, de même que les deux rivières qui lui permettent de jouer à la mini Venise. Mais la curiosité principale de la commune, c'est son marché au cadran, installé en 1983.

Centre d'élevage de bovins charolais, Moulins-Engilbert a décidé de faire désormais son marché en salle, et non plus, comme avant et comme ailleurs, sur une grande place. L'élec-

Centre commerçant, Moulins-Engilbert s'anime surtout lors de ses foires aux bestiaux.

Elément moderne dans le monde traditionnel des éleveurs de bovins : le marché au cadran (1983) de Moulins-Engilbert.

tronique a acquis droit de cité : les enchères se font dans un endroit abrité où les animaux sont présentés les uns après les autres; un cadran indique le prix au kilo et le poids, et les acquéreurs, pour enchérir, ont simplement à appuyer sur un bouton. On n'arrête pas le progrès...

A deux kilomètres à peine, le prieuré de Commagny a conservé de son ancienne splendeur une belle église romane du XIIe siècle.

Saint-Honoré-les-Bains : une station thermale, voilà qui nous change. Pas ou peu de souvenirs historiques, bien que, du temps des Romains, les personnes disposant de quelque aisance vinssent déjà y soigner leurs bronches.

Louis Malle séjourna quelque temps à Saint-Honoré vers 1970 pour y tourner quelques scènes de son film *«Le souffle au coeur»*, avec Daniel Gélin et la belle actrice italienne Léa Massari.

Sémelay possède une église romane avec des chapiteaux historiés. L'un représente une femme mordue au sein par un serpent; pour amusant qu'il soit, le détail n'est pas unique : le fameux tympan de la cathédrale d'Autun représente aussi la luxure sous la même forme.

L'église de Ternant est remarquable - selon l'expression consacrée et bien éculée, elle vaut le détour - par les deux triptyques du XVe siècle, l'un consacré à la Passion du Christ, l'autre à la Vierge. Ils sont l'oeuvre d'artistes flamands, et l'on sent l'influence de Roger Van der Weyden - celui qui a peint le fameux polyptyque de Beaune.

Et nous voici à Luzy, dont le territoire s'enfonce comme un coin dans le département de Saône-et-Loire, et qui fut relais de poste entre Autun et Bourbon-Lancy.

La curiosité de Luzy, c'est l'hôtel de ville, un bâtiment du XVIIIe siècle. L'ancienne salle du conseil municipal est ornée de plusieurs tapisseries d'Aubusson en fort bon état : elles avaient été commandées par le propriétaire de l'époque et faites à la mesure de la pièce. Elles représentent des scènes de la vie d'Esther, dont Racine, dans sa pénultième tragédie, avait remis

Châtillon-en-Bazois : l'autel sculpté de l'église.

Saint-Honoré-les-Bains : l'établissement thermal du XIXe soigne toujours avec succés les affections des voies respiratoires grâce à ses eaux sulfureuses et arseniales. Il est aujourd'hui le seul établissement thermal de la Nièvre.

Outillage ancien à la Maison des Métiers du Monde Rural à Tamnay-en-Bazois.

Fours, aux confins du Morvan. La verrerie royale Sainte-Catherine fonctionne dès le début du XVIIe siècle. En 1816 elle est transformée en usine de porcelaine. Elle cesse toute activité en 1864 à cause d'élections municipales. C'est aujourd'hui un musée.

l'histoire au goût du jour. A côté d'Esther, on voit Assuérus, Aman et Mardochée - personnages qu'ont bien connus, pendant leurs cours de français, tant de potaches de France et de Navarre.

Larochemillay, village haut perché, possède un château construit pour le maréchal de Villars, l'un des compagnons d'armes de Vauban.

Et l'on peut terminer ce zigzag touristique à travers le Morvan de la Nièvre par un village au nom curieux : Poil. Un nom qui génère les plaisanteries. Il faut dire quand même que le mot se rencontre fréquemment dans l'immédiate contrée : à peu de distance se trouve le village de Savigny-Poil-Fol, et, en Saône-et-Loire, sur le territoire de La Comelle, le hameau de Huspoil.

Parlant du village de Poil, le Guide Bleu, qui ne se hasarderait pas à la moindre inconvenance, tient à préciser que le nom vient du latin *«podium»* qui signifie *«hauteur»*. Malgré tout, et comme l'on s'en doute, les canulars ont fleuri.

L'un d'entre eux remonte à 1914 : au printemps de cette année-là, quelques joyeux drilles avaient annoncé à grands sons de trompe que l'on allait élever, dans la commune de Poil, une statue à un personnage du nom d'Hégésippe Simon, qu'ils dépeignaient comme l'une des gloires de la démocratie, et qui était tout à fait imaginaire. Ils incitèrent, sur tout le territoire français, nombre de personnes, et parmi elles d'honorables parlementaires, à participer à une vaste collecte pour l'érection de ce monument. Beaucoup se laissèrent prendre et ajoutèrent leur dithyrambe à la louange d'Hégésippe Simon, mais la supercherie fut avouée, avant qu'il ne soit trop tard, par ceux-là mêmes qui l'avaient provoquée. Toute la France éclata de rire avant d'être plongée, peu après, dans la grande tragédie qui allait ensanglanter l'Europe.

Nouveau canular vers 1975, au cours d'une émission dominicale télévisée de Jacques Martin : Stéphane Collaro tint à se rendre à Poil, et à se faire photographier, en slip, près du poteau indicateur portant les quatre lettres du nom du village. Il en eut d'ailleurs quelque mérite, car ce jour-là il y avait de la neige dans le Morvan...

Ternant : remarquable foisonnement de bois peint dans la sculpture de l'un des deux triptyques flamands du XVe siècle.

Luzy : les fameuses tapisseries d'Aubusson de la salle du Conseil. En détail, une des scènes retraçant la vie d'Esther, femme juive épousée par le roi des Perses.

Le Morvan des Touristes : La Saône-et-Loire

L'une des oeuvres les plus remarquables du musée Rolin d'Autun : la Nativité, due à Jean Hey, dit le Maître de Moulins. La Vierge est au centre du tableau, et - anachronisme artistique fréquent au XVe siècle - le cardinal Rolin, donateur, se trouve derrière elle.

Autun possède encore de solides remparts du Moyen Age englobant la curieuse tour des Ursulines.

Autun-la-Romaine. Autun-la-Belle. Autun-la-Reine.

L'historien Henri Martin aimait à dire - c'est Jules Cazin qui nous l'apprend - qu'Autun était, après Paris, la plus belle ville de France. N'allons pas jusque là, mais constatons qu'elle est, par les richesses qu'elle recèle, une cité prestigieuse. Et, dans le Morvan, elle est la plus importante par sa population : avec près de 20 000 habitants, elle laisse loin derrière elle Avallon, Clamecy, Saulieu, Luzy, Corbigny. Et Château-Chinon.

Elle est grande ville depuis deux millénaires. L'empereur Auguste voulait étouffer Bibracte, qui avait été l'ennemie de son prédécesseur César, et il décida de créer en Gaule une cité qui porte son nom, et de la hisser à la hauteur de Rome. Entourée de solides remparts comportant plus de cinquante tours de défense et percée de quatre portes, elle fut décorée de monuments somptueux, notamment théâtre, amphithéâtre, temple, aqueducs.

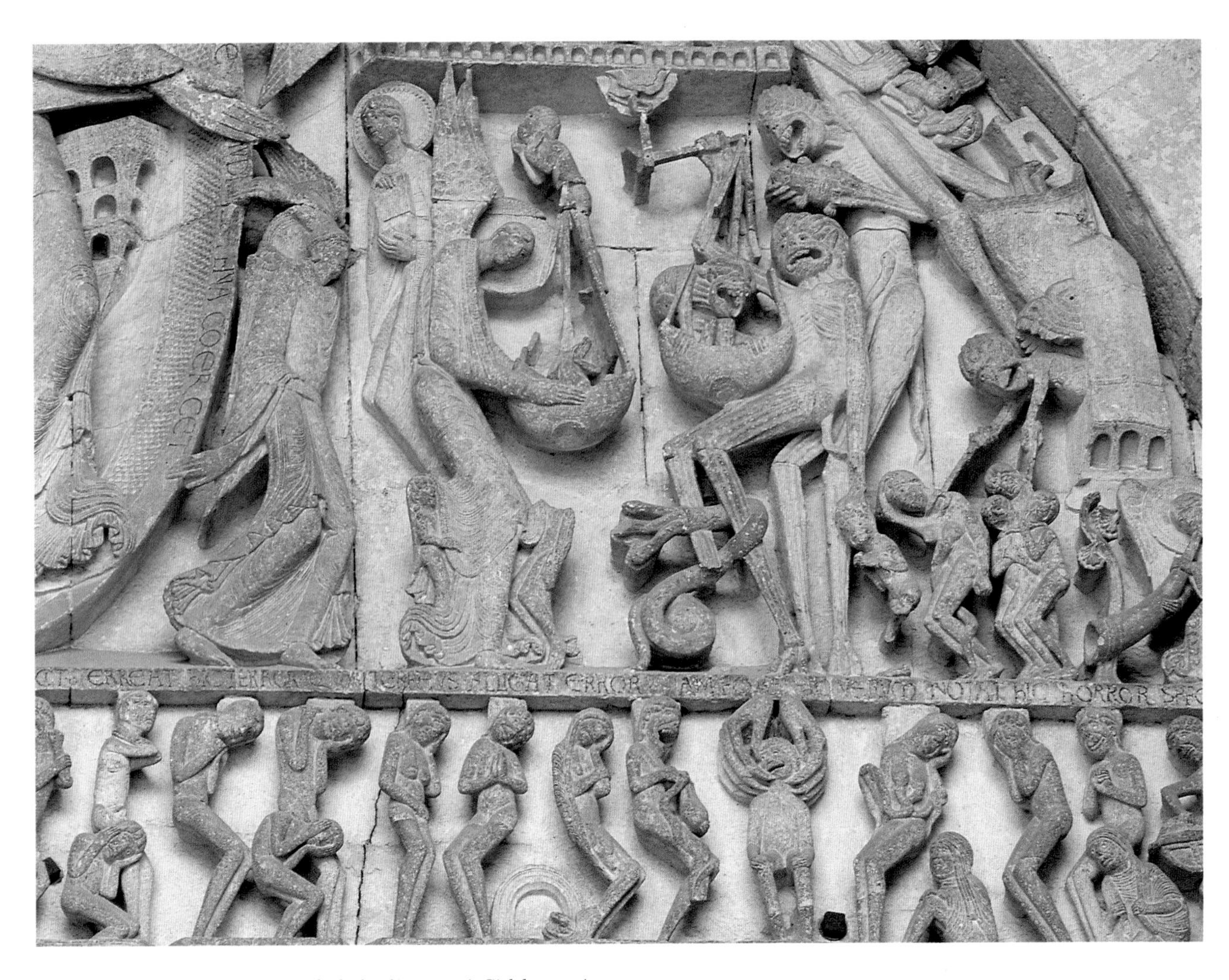

Une partie du tympan de la cathédrale, dû encore à Gislebertus. A gauche, on ne voit que le bas du corps du Christ. Saint Michel pèse les âmes dans une grande balance, et les condamnés disparaissent épouvantés dans les flammes de l'enfer. Plus bas, sue le linteau, les morts sortent de leur tombeau.

Autre oeuvre magistrale du musée Rolin : l'Eve, due au ciseau du maître sculpteur du XIIe siècle Gislebertus. Eve cueille la pomme. A son regard, à son geste, on voit qu'elle sait commettre un péché; toutefois elle n'hésite pas le moins du monde...

...Il est une beauté que ni le temps ni les hommes n'ont pu détruire et qui demeure après vingt siècles, c'est le site naturel où se pose la ville. Les massifs boisés qui couronnent ces monts semblent plutôt un rideau de sombre verdure pour la masquer aux regards qu'une muraille d'enceinte pour la protéger. Les abords sont faciles et la plaine qui s'étend devant elle invite aux promenades. On ne peut la contempler sans garder dans les yeux la vision majestueuse de son décor : l'étranger qui s'approche d'elle sans avoir été prévenu s'arrête émerveillé. Quel que soit l'endroit d'où il vienne, qu'il descende des hauteurs magnifiques de Montjeu ou qu'il arrive modestement par le chemin de fer, que, touriste ami des paysages, il l'aperçoive de l'une des routes qui s'enfoncent au coeur de sa grande place comme des flèches, il comprendra que ces lieux étaient nés pour porter une capitale. Ils en gardent l'empreinte et l'image, et le ciel en toute saison leur prête sa parure incomparable.

Par les matins ensoleillés, les maisons, qui s'étagent sagement aux pentes de la colline, donnent l'impression paisible et recueillie d'une procession dont tous les gestes seraient bien ordonnés, et, lorsque aux heures d'orage l'horizon s'obscurcit tragiquement de nuages d'encre, la ville, qui se sculpte en noir sur la grisaille, garde encore son attitude superbe et semble, avec les creux de ses rues et les bosses de ses toits, une épreuve à l'eau-forte adoucie par les siècles.

Jean BONNEROT

La porte Saint-André, la mieux conservée des deux portes restantes de l'époque romaine.

(Pages 136-137). Le mont Beuvray. Au milieu des hêtres aux formes tourmentées, la muraille gauloise reconstituée se dresse, prête à affronter à nouveau l'envahisseur.

Toujours au musée Rolin, la statue connue sous le nom de «Vierge d'Autun» : exprimée sobrement, toute la tendresse d'une mère tenant dans ses bras son enfant emmailloté.

De toutes les richesses archéologiques romaines il reste deux des quatre portes, le théâtre, le temple de Janus aux murs de brique ocre, et la mystérieuse pierre de Couhard. Et puis les strates déposées postérieurement par les civilisations et les siècles successifs. Car Autun-la-Romaine n'est pas que romaine, et Stendhal avait bien tort de refuser de prêter attention aux richesses du Moyen Age. Autun, c'est deux mille ans d'histoire accumulée.

Gravement endommagée par les Barbares au IIIe siècle, elle reprit son essor avec le christianisme et la création d'un évêché qui devint l'un des plus étendus de France, puisque, débordant largement le Morvan, il s'étendait de Moulins à Beaune, et de Marcigny à Vézelay. Mais Vézelay, justement, se posait en rivale religieuse : les pélerins y affluaient pour voir les reliques de Marie-Madeleine. Alors Autun se procura celles de Lazare, le ressuscité de Béthanie, et le propre frère de Madeleine. Pour les abriter, on construisit une basilique, qui par la suite se transforma en cathédrale.

L'actuelle cathédrale est romane avec un clocher et divers ajouts gothiques - mais les deux styles, là, font bon ménage.

Deux parties de cet édifice méritent une attention particulière : les chapiteaux de l'intérieur, et surtout le portail de l'entrée principale, avec le tympan du Jugement dernier, une oeuvre du XIIe siècle, due au ciseau d'un maître qui osa - la chose n'était pas fréquente - signer : *«Gislebertus hoc fecit»*, Ce Gislebertus, auteur également des chapiteaux, André Malraux n'hésitait pas à dire qu'il était *«un Cézanne roman»*.

Autun : l'un des chapiteaux de la cathédrale Saint-Lazare.

Au centre, un Christ en majesté, immense dans sa mandorle, et qui rappelle un peu celui de Vézelay. Mais ici il n'est plus question d'aller évangéliser le monde : nous sommes au dernier jour de l'humanité, et sont jugés les vivants et les morts. On pèse les âmes et, à gauche du tableau, donc à la droite du Christ, se trouvent les élus, dont on perçoit l'indicible bonheur; à droite du tableau, les damnés, dont on ressent le tragique désespoir.

Mais les hommes n'ont pas toujours su conserver les richesses léguées par leurs anciens. Au XVIIIe siècle, les moines, par une aberration impardonnable - dans ce même département de Saône-et-Loire, on verra pire, quelques décennies plus tard, quand les pouvoirs publics laisseront démolir pierre après pierre la quasi-totalité de l'abbaye de Cluny - abîmèrent la cathédrale d'Autun. Ils détruisirent le tombeau de saint Lazare et le portail latéral. Et, sous le fallacieux prétexte de le protéger, ils recouvrirent de plâtre le tympan du portail principal!

Puis on eut des remords : en 1837, on décida d'enlever le plâtre. Mais manquait la tête du Christ...

Elle manqua jusqu'en 1948. Cette année-là, Denis Grivot - il était alors jeune abbé, mais déjà passionné d'art et point manchot - découvrit, parmi les sculptures du tout voisin musée Rolin, qui était à l'époque une sorte de dépotoir, une tête qui lui parut être celle du Christ. Il la vola - Dieu, depuis, lui a pardonné - et, s'étant procuré une grande échelle, entreprit de l'aller remettre à sa vraie place. Las! L'échelle était quand même un peu trop courte, et l'abbé ensoutané faillit bien tomber et fracasser sur le sol les deux têtes, celle du Christ et la sienne. Il dut redescendre, rédiger sagement un rapport au conservateur du musée, et attendre que des ouvriers mieux outillés fassent le nécessaire.

Le temple de Janus, à la dénomination impropre, était pourtant un sanctuaire gallo-romain.

Le musée Rolin est installé dans deux bâtiments dont l'un est un bel hôtel édifié au XVe siècle par Nicolas Rolin, qui devint chancelier du duc de Bourgogne Philippe de Bon et fit également construire les célèbres hospices de Beaune.

Ce musée contient, parmi beaucoup d'autres richesses, trois oeuvres qu'il ne faut pas manquer. D'abord la sculpture d'Eve, provenant du portail nord de la cathédrale sottement démoli - Adam, lui, n'a pas été retrouvé - et due, encore, à Gislebertus. Ensuite une statue de la Vierge à l'Enfant, en pierre polychrome, dite aussi Vierge d'Autun, qui reflète la tendresse maternelle. Et puis une Nativité, tableau de celui que l'on appelle le Maître de Moulins.

Il faut voir aussi, dans les rues un peu tortueuses qui mènent à la cathédrale, les vieilles demeures - il en est de tous les siècles à partir du XVe - et les tours, restes des remparts édifiés sur l'emplacement de ceux construits par les Romains.

Il y a encore autre chose à Autun, qui gâte malheureusement le visage de la ville et que l'on ne peut pas ne pas voir : deux verrues jumelles, les deux terrils coniques du quartier des Télots. Mais c'est la marque d'une dynamique activité industrielle : l'exploitation de schistes bitumineux durant un peu plus d'un siècle, et jusque vers 1950.

L'évêché d'Autun est célèbre, et c'est peut-être aussi par lui que la ville est bien connue. Deux localités, l'une au nord, l'autre au sud, ajoutent à leur nom celui de l'Evêque : Lucenay et Issy.

On peut le noter au passage, c'est à Issy-l'Evêque que naquit Mme de Genlis, préceptrice des enfants de Louis-Philippe. Le roi des Français avait déjà choisi, pour les allaiter, des nourrices morvandelles : en utilisant les services d'une personne de la même région, il montrait que, sur ce point du moins, il avait de la suite dans les idées.

Le nom d'Autun est aussi lié à celui de Talleyrand. Nul n'ignore que ce diplomate boiteux, opportuniste, génial et sans scrupules, y fut évêque. Ce que l'on sait moins, en revanche, c'est le temps qu'il est resté dans la ville : un mois à peine, du 12 mars au 12 avril 1789. A cette date, élu du clergé aux Etats Généraux, il quitta Autun pour Paris, où d'autres tâches l'attendaient.

Le moins que l'on puisse dire, c'est qu'il n'avait pas la vocation religieuse. Le dimanche de l'Annonciation, fin mars, ses diocésains lui demandèrent de dire la messe lui-même. Talleyrand ne put refuser, mais il fut loin d'être à la hauteur de la situation : il commit, dans le déroulement de la liturgie, un certain nombre d'erreurs, qui surprirent fort et offusquèrent les chanoines qui l'assistaient...

Peu avant, la ville avait hébergé un autre hôte qui devait jouer encore un plus grand rôle dans l'Histoire : Napoléon Bonaparte. Il fut, avec son frère aîné Joseph, élève du collège des

Le petit château de Monthelon, où vécut sainte Jeanne de Chantal, la grand-mère de madame de Sévigné.

Le petit oratoire de Belle-Croix à Uchon date du XVIe siècle. On y invoquait saint Roch et saint Sébastien, censés protéger contre la peste.

Jésuites - un bâtiment du XVIIIe siècle sis en bordure de la place du Champ-de-Mars et qui porte aujourd'hui son nom. Il avait, début 1779, un peu plus de neuf ans, et Charles Bonaparte, qui connaissait l'évêque Mgr de Marbeuf, avait amené à Autun ses deux enfants - il y amènera, plus tard, un troisième fils, Lucien - pour leur faire apprendre le français, car ils ne connaissaient guère jusqu'alors que le dialecte corse. Et le petit Napoléon demeura trois mois et demi dans cet établissement.

Ses camarades, avec lequels du reste il se battait souvent, se moquaient de sa mauvaise prononciation. Il disait se prénommer *«Napolioné»*, et les gamins l'avaient surnommé *«Paille au nez»*. Ce détail est confirmé par un de ses biographes, Jacques Bainville, mais il le situe à l'école de Brienne (Aube), dont il fut l'élève quelques mois plus tard.

Que dire du Morvan de Saône-et-Loire, qui ne soit pas cette ville-phare? Il y a quand même d'autres lieux à signaler et à explorer.

Au sud, on trouve le château de Montjeu dont les parterres ont été dessinés par Le Nôtre. Mais on est déjà, là, sur le territoire de la commune de Mesvres. Roger de Beaufort, que certains historiens appellent Pierre et qui devait devenir pape sous le nom de Grégoire XI, fut prieur de Mesvres au XIVe siècle. Passèrent à Montjeu, au cours des siècles, Mme de Sévigné et son cousin Bussy-Rabutin, Voltaire et Mme du Châtelet.

Trois villages de cette périphérie du Morvan étalent leurs curieux blocs de granit : Uchon, La Tagnière et Dettey.

Uchon, ancien siège d'une baronnie, ancien lieu de pélerinage - on venait y prier saint Roch pour être protégé contre

Anost, la chapelle de Velée est décorée de fresques modernes qui ravivent l'intérieur du bâtiment.

Uchon. Le monastère orthodoxe Saint-Hilaire et Saint-Jean Damascène. Installé depuis quelques années, il est également un centre d'étude et d'iconographie, et offre une exposition permanente d'art religieux.

A la Petite-Verrière, la vieille église du XIIe siècle est toujours bien entretenue.

la peste - est aujourd'hui le moins peuplé de ces trois villages : à peine plus de 50 habitants. Mais chaque année 50 000 visiteurs passent dans la commune pour admirer le site : ce que l'on appelle le *«Signal d'Uchon»* culmine à 684 mètres et on jouit d'un magnifique panorama.

Depuis peu, l'unique hôtel-restaurant a été repris par Guy Federspield et son épouse, née Josiane Bost. Josiane Bost, ce nom vous rappelle quelque chose : elle était, avant l'ère de Jeannie Longo, la grande championne des épreuves cyclistes. En 1977, elle revint même du Vénézuela avec le maillot arc-en-ciel.

Avec Josiane et Guy, on peut évoquer cette anecdote liée au village d'Uchon et qui est restée dans bon nombre de mémoires. Dans les années 60, le tracé de la course Paris-Nice passa par là; or, pour venir de la commune voisine, La Chapelle-sous-Uchon, il y a une rampe de... 18% ! Les coureurs n'avaient pas prévu un développement approprié à une telle dénivellation, au point qu'on les vit tous mettre pied à terre et finir ainsi la montée. Tous, sauf Raymond Poulidor : averti par son mécanicien qui connaissait un habitant de la région, il avait pris soin d'adopter le braquet qui s'imposait. Depuis, il a rencontré Josiane Bost et lui a promis de revenir à Uchon - mais il a bien précisé : *«Pas à vélo...»*

Etang-sur-Arroux, gros bourg et chef-lieu de canton, doit son importance à sa situation sur la ligne de chemin de fer Nevers-Chagny : un embranchement relie Etang à Autun, plus isolée.

Le village de Monthelon est situé à l'ouest d'Autun, et on peut y voir une sorte de manoir où vécut, aux environs de 1600, Jeanne-Françoise de Chantal, qui devint célèbre pour deux raisons : d'abord elle mena, après son veuvage, une vie de piété qui lui valut d'être canonisée un siècle et demi plus tard, ensuite elle fut la grand-mère de celle qui devait être la marquise de Sévigné.

Aux confins de la Nièvre, la très étendue commune d'Anost est, avec ses nombreux hameaux, l'une des plus peuplées. Elle est également l'une des plus dynamiques : chaque année, pendant les mois d'été, elle organise spectacles et manifestations folkloriques.

Bâtie dans un site pittoresque - mais quel coin du Morvan n'est pas pittoresque ? - elle est l'ancienne capitale des galvachers. L'église abrite un sarcophage mérovingien et les gisants de

Gérard de Roussillon et de son épouse Berthe - homonymes et plus jeunes de quelques siècles des fondateurs de Vézelay.

Au hameau de Velée, une petite chapelle bien isolée est décourée de fresques modernes : elles sont l'oeuvre de l'un des moines de La Pierre-qui-Vire, le père Angelico Surchamp.

Sur la carte, Anost paraît être comme le front d'une gigantesque tête saône-et-loirienne dont le nez serait Saint-Prix, et Saint-Léger-sous-Beuvray le menton. A Saint-Prix, le Morvan atteint son point culminant dans le massif du Haut-Folin, avec le Bois-du-Roi (901 mètres).

De ce Haut-Folin descend un torrent, la Canche, qui n'a qu'une quinzaine de kilomètres à faire avant de se fondre dans un autre cours d'eau, sous-affluent de la Loire. Sachant qu'elle a peu de temps à passer sur cette terre, la Canche mène la grande vie. Elle fait admirer sa gorge - ses gorges - et ne s'effraie nullement de la dénivellation : devant les arbres et les rochers médusés, elle se livre à des cabrioles fantastiques et retombe toujours sur ses pieds, réalisant ainsi un sans faute dans son exercice périlleux. Bonne fille cependant, elle ne refuse pas de rendre service et, sans trop maugréer, se laisse domestiquer par une usine hydro-électrique.

Saint-Léger-sous-Beuvray était un village qui s'étiolait. Mais ses édiles ont pensé à créer un bâtiment qui devienne un lieu de rencontre, et ils ont obtenu les crédits nécessaires à la construction d'une Maison du Beuvray. Depuis quelques années, celle-ci attire réunions et séminaires, et notamment l'Université du Morvan, qui - on l'a vu dans un précédent chapitre - se penche sur la langue parlée par les anciens du pays et voudrait la voir ressusciter. Il s'agit là d'une idée originale et porteuse d'espoir pour l'identité morvandelle, au moment même où, au sommet du mont Beuvray, la ville de Bibracte va elle-même renaître.

Et toujours des bois, un ruisseau, une prairie et des bovins blancs.

Le Morvan au Futur

L'économie du Morvan : quelle peut-elle être après l'exode - on pourrait presque parler d'hémorragie - qui a affecté la contrée depuis le début du siècle?

Les forêts représentent certes une des richesses, mais l'agriculture proprement dite ne comporte pas, sauf dans le sud, de grosses exploitations : la moyenne est de 40 hectares seulement, et les remembrements, qui pourraient constituer une solution à ce problème, ne sont généralement guère acceptés par la population.

Certains Morvandiaux - on les appelle *«éleveurs-naisseurs»* - ont fait porter une partie de leurs efforts sur l'élevage, et notamment sur celui des bovins charolais. Des bouvillons ou *«châtrons»* - mot apparu dans la langue officielle peu après 1900, grâce au *«Journal»* de Jules Renard - castrés au cours de l'hiver qui suit leur naissance, sont engraissés dans les prairies mieux exposées du sud - Moulins-Engilbert - ou de l'est - Saulieu. A Saulieu se tient du reste chaque année au mois d'août une exposition nationale des bovins.

Mais les exploitations - c'est la même situation que dans l'agriculture - sont souvent trop petites pour pouvoir être vraiment rentables.

Remarque identique en ce qui concerne les entreprises. Celles du bâtiment - maçonnerie et professions annexes - arrivent à tirer leur épingle du jeu grâce aux travaux effectués, dans les résidences secondaires que les étrangers au pays - Parisiens surtout - possèdent çà et là.

Dans les villes se sont pourtant développées quelques industries : Château-Chinon a une fabrique de bas, Clamecy une usine de traitement chimique, Arleuf une usine de textiles, Avallon une usine de pneumatiques. Quant à Autun, elle a la chance de posséder des entreprises de textile, de câbles, et surtout de meubles : le bois du Morvan trouve là un débouché tout naturel, et la foire du meuble attire chaque année en septembre bon nombre d'acheteurs et de curieux.

Partout, l'artisanat. Fort typique, souvent marqué au coin d'un goût très sûr, il est loin de pouvoir, à lui seul, faire sortir la contrée de l'ornière.

Il fallait faire quelque chose, et pas que dans le Morvan. Les pouvoirs publics ont senti le danger de la désertification de la campagne française.

Vers 1960 était décidée la division de la France en régions et - là, la chance frappait vraiment à la porte - la création d'une région de Bourgogne. Les quatre départements sur lesquels se situe le Morvan étaient, pour la première fois, appelés à se rencontrer et à discuter ensemble de problèmes qui leur devenaient communs.

Deuxième chance, quelques années plus tard, En août 1966 très exactement, s'est tenu à Lurs, dans les Alpes-de-Haute-Provence, un colloque international. Lurs était surtout connu jusqu'alors dans la France entière pour être le village de *«l'affaire Dominici»*. Ce triste privilège s'est un peu effacé pour laisser la place à une autre particularité, car le colloque en question avait suggéré la création de parcs nautrels régionaux. Et - miracle! - dès mars 1967 le gouvernement français prenait un décret instituant les parcs régionaux.

Les Morvandiaux, pas fous, ont saisi la balle au bond : ils ont oeuvré pour l'implantation d'un parc sur leur territoire. Et plusieurs décrets sont venus leur apporter satisfaction, en autorisant la création d'un Parc du Morvan.

Initialement, les parcs régionaux étaient au nombre de vingt-trois : ils sont aujourd'hui vingt-sept. Ils ont un rôle actif; à la différence des parcs nationaux qui sont des réserves mises en quelque sorte sous cloche, ils constituent, eux, de véritables viviers.

Leurs buts? Ils sont multiples, mais on peut les résumer en quelques verbes : protéger, accueillir, animer.

D'abord protéger et valoriser le patrimoine culturel; faune, flore, forêts, monuments, sites, cours d'eau et plans d'eau.

Accueillir ensuite, offrir des espaces verts et de détente aux citadins attirés par la vie rurale, et augmenter la fréquentation des communes comprises dans le périmètre du parc.

Animer enfin, en développant les activités sportives et folkloriques.

Avec, inscrit en filigrane, le désir très net de stopper le déclin démographique, d'amorcer un renversement de tendance, et de relancer l'expansion socio-économique. Pour un Morvan de pierre et d'eau, n'était-ce pas là rouler le rocher de Sisyphe ou remplir le tonneau des Danaïdes?

Pas du tout, ont répondu les responsables de l'époque, Paul Flandin, François Mitterrand, André Basdevant, Joseph Pasquet, Pierre Saury, Auguste Hervey, Paul Barreau, Joseph Roblin, Marcel Vigreux, et bien d'autres encore.

Ils ont installé, dès 1975, le siège du parc à Saint-Brisson, et ils ont pris comme emblème un cheval au galop, reproduction d'une vieille monnaie éduenne.

Essentiellement forestier, le Morvan conserve néanmoins une agriculture traditionnelle.

Construit au début du XIXe siècle par le Comte de la Rivière, le château de Saint-Brisson est aujourd'hui le siège de la Maison du Parc.

La maison du Parc naturel régional du Morvan

L'Etablissement Public Régional et les Conseils Généraux de la Région Bourgogne ont décidé, sur la proposition de l'Association Régionale du Morvan, de créer la «Maison du Parc» Naturel Régional du Morvan, avec l'accord et le concours financier du Ministère de la Qualité de la Vie.

Le choix s'est arrêté sur le domaine de Saint-Brisson, situé au centre de la Bourgogne, dans le département de la Nièvre, à 10 km de l'Yonne et de la Côte-d'Or et à 22 km de la Saône-et-Loire. Il comprend un très bel ensemble du XVIIIe siècle, un étang et un parc qui seront certainement très appréciés des visiteurs.

Aussi, il faut souhaiter que rapidement, à côté des services administratifs, s'organisent dans l'avenir les moyens d'accueil, le parc de vision d'animaux, les centres de recherche, la bibliothèque où seront réunis tous les ouvrages écrits sur le Morvan, y compris thèses et études, à la disposition de tous, et que soient réalisés d'autres projets que nous laissons à la surprise des chercheurs, élèves et étudiants, stagiaires ou professeurs, touristes, curieux, aimant la nature, ou tout simplement visiteurs.

Courrier du Parc Naturel Régional
du Morvan 1975 - N° 15

A Saulieu, comme ailleurs, la filière bois se poursuit, avec les essences nobles, jusqu'à la fabrication du meuble.

Le château de Saint-Brisson est entouré d'un ténement d'une quarantaine d'hectares. Les bâtiments abritent les services administratifs, la bibliothèque morvandelle, des salles d'exposition, et le musée de la Résistance.

Dans le parc, on trouve des étangs où évoluent canards et cygnes, et aussi de nombreuses espèces de poissons. L'arboretum regroupe des arbres d'essences diverses : des panneaux expliquent ce qu'il faut savoir sur chacun d'eux. Et l'*«herbularium»* - néologisme élégant créé pour la circonstance - rassemble 160 espèces de la flore morvandelle.

Des colloques ont souvent lieu à Saint-Brisson, et certains sont axés sur l'évolution des parcs naturels d'ici l'an 2 000 maintenant bien proche.

Mais le Morvan vit surtout l'été, à cause des touristes : la saison s'étend de juin à septembre, et les résidences secondaires, vides au cours des autres mois de l'année, se remplissent. A Planchez, les étrangers sont alors nombreux, et neuf nationalités y sont représentées : allemande, anglaise, belge, espagnole, hollandaise, italienne, norvégienne, portugaise et suisse. Et l'on se souvient d'un certain 15 août où le lac des Settons n'avait pas accueilli moins de 15 000 visiteurs!

L'un des membres de l'équipe du Parc a pu à ce sujet écrire ce quatrain :

«Sur cette terre en dons avare,
Sur ce granit déshérité,
Croît une fleur qui devient rare.
Elle a nom : Hospitalité».

Les Morvandiaux de la fin du XXe siècle ne veulent plus vivre repliés sur eux-mêmes comme l'on été leurs aïeux, et le président du Parc, le docteur Philippe Lavault, pense que ce Parc doit être un outil d'accueil et d'innovation, autant que d'aménagement du territoire, de gestion de l'environnement, et de développement économique et social. Il envisage même de la possibilité de créer, à l'image de ce qui se passe en Autriche et en Suisse, un équipement ludique, peut-être à dominante aquatique, autour d'un pôle touristique majeur.

Il y a quelques années à peine, avait été mis sur pied par les pouvoirs publics un *«Programme Régional pour le Développement Coordonné»* (P.R.D.C.). Il s'appliquait à un territoire qui, regroupant 29 cantons de Bourgogne, dépassait le cadre - même élargi - du Morvan. Mais peu importait : le Morvan était partie prenante, au même titre que, par exemple, le Nivernais central, et une aide lui était promise sur le plan économique pour cinq points principaux : Vézelay, le Beuvray, le canal du Nivernais, Saint-Hororé-les-Bains et les lacs. Déjà, le Beuvray et deux des cinq lacs sont devenus des *«pôles touristiques»*.

Le P.R.D.C. avait été créé pour mettre en application les mesures prévues par un contrat de plan Etat-Région en matière de tourisme, il préconisait d'améliorer la qualité de l'hébergement, en créant des hôtels et en développant les gîtes ruraux et communaux.

Les responsables du Parc naturel régional reprennent ces objectifs, et ils exercent leur action sur plusieurs points :

1° - Protection et gestion de l'environnement : paysages, faune, flore, et aussi chasse et pêche. Détail très particulier, mais qui illustre bien la volonté de ne rien laisser au hasard : le problème des écrevisses. Le Morvan a toujours été bien pourvu en écrevisses, mais, depuis la fin de la Seconde guerre mondiale, ici comme dans beaucoup d'autres régions, elles avaient à peu près disparu. Un programme de sauvetage de ces animaux a été lancé.

2° - Développement culturel. Il s'agit de protéger et de valoriser le patrimoine local et les pratiques telles que les manifestations et les spectacles divers.

3° - Développement économique : aider à l'adaptation et à la restructuration des exploitations, et permettre à celles-ci de parvenir à une meilleure commercialisation, notamment pour le marché des bovins. Pour la forêt et la filière bois, améliorer encore la desserte forestière, structurer et équiper les entreprises de travaux forestiers. Et, bien sûr, renforcer le tissu des entreprises commerciales, artisanales et de services.

Le Parc pourrait être le fédérateur de ce développement local. Pour l'assister, il y a l'Etat, la Région, les quatre départements, les communes, les organisations économiques, et même l'Union Européenne.

Déjà,en ce qui concerne l'urbanisme, le retard dû à la dispersion de l'habitat a été rattrapé : des travaux ont été réalisés pour l'alimentation en eau potable, l'évacuation des eaux usées, l'électrification, l'aménagement des voies communales.

Du point de vue sportif, on a développé les randonnées pédestres et équestres, les sports nautiques sur les six lacs, et les épreuves de canoé-kayak sur l'Yonne, la Cure et le Cousin. En ce qui concerne le V.T.T. - inutile de donner la signification de ces trois lettres, tout le monde connaît! - près de 1 500 kilomètres sont désormais balisés, et les circuits sont prêts au départ d'un certain nombre de villages.

En aval de la filière bois, les scieries, dont beaucoup autrefois étaient mues par la force des moulins à eau.

(Pages 152-153) Dans le matin ensoleillé, une expérience exceptionnelle : descendre la Cure en rafting du côté de Gouloux.

AN

Reboisement dans la région de Moulins-Engilbert.

Initialement, le parc du Morvan s'étendait sur 65 communes. Actuellement, et depuis la décision de l'automne 1993, il en regroupe 82 : 38 dans la Nièvre, 20 en Côte d'Or, 13 dans l'Yonne et 11 en Saône-et-Loire.

Tout va donc mieux désormais pour le Morvan, mais ses habitants conservent toujours un peu le sentiment d'être écartelés entre les quatre départements. Certes, France 3 Bourgogne est là pour donner des informations relatives aux manifestations de tous ordres qui se déroulent dans la partie morvandelle de la Nièvre, de la Côte d'Or, de l'Yonne et de la Saône-et-Loire, mais, jusqu'à une date toute récente, il n'existait rien de tel pour la presse écrite, Cette anomalie vient de cesser. En effet, un accord a été passé entre le Parc et la *«Gazette d'Autun»* pour la parution, une fois par mois, de plusieurs pages sous le titre *«La Gazette du Parc du Morvan»,* journal destiné à la communication interne des communes du Parc. Ainsi les Morvandiaux peuvent-ils trouver enfin un journal spécifique à leur région, et que complète de façon fort opportune le toujours lu *«Morvandiau de Paris».* Le minitel entre lui aussi en scène - on n'arrête pas le progrès - avec 36-15 Morvan. C'est une banque de données relatives à tout ce qui a trait, dans les domaines touristique, culturel et sportif, aux animations, festivités et expositions, et qui constitue aussi une sorte de bloc-notes constamment tenu à jour.

Il ne faut pas clore ce chapitre sur le Morvan au futur sans donner quelques informations complémentaires sur Bibracte : là, le passé, le présent et l'avenir se mêlent et font bon ménage.

Bibracte : revenons-y une fois de plus, puisque c'est l'un des points sensibles du Morvan, l'un des mots-phares, l'un des lieux où va se jouer, au cours des prochaines années, une grande partie historique, archéologique et scientifique.

Tout ce qui avait été découvert par Gabriel Bulliot et son neveu Joseph Déchelette entre 1867 et 1907 avait été à nouveau enseveli : un manteau de protection fait de terre légère, de ronces, de genêts et d'arbres recouvrait la cité gauloise.

En limite du Morvan, comme ici vers Corbigny, l'agriculture s'intensifie et prend le pas sur la forêt. Une expression populaire morvandelle traduit bien la proximité immédiate et le changement : «Corbigny, c'est pas l'Morvan, mais les poules y vont aux champs».

Les chercheurs d'il y a un siècle avaient estimé n'être point assez outillés pour pouvoir protéger ce qu'ils arrachaient au sol. Sagement, ils avaient refermé la boîte magique en pensant qu'un temps viendrait où leurs descendants, mieux équipés, pourraient s'attaquer à la tâche. Ce moment est arrivé... La seule ville celte dont les vestiges demeurent intacts, à fleur de terre, va maintenant livrer de nouveaux secrets.

Les fouilles ont commencé en 1984, et c'est en septembre 1985 que le président François Mitterrand a déclaré Bibracte *«site national»*.

Un site qui change de mois en mois, grâce aux équipes de chercheurs venus de différents pays d'Europe - le plus souvent des étudiants et leurs professeurs - qui découvrent toujours des choses nouvelles.

Les visiteurs apprennent aussi qu'aux temps préhistoriques il y avait eu, là, un campement néolithique. Et qu'après la grande époque gauloise, il y avait eu une troisième occupation du site : par des moines. Il est piquant de le noter aujourd'hui, ces moines ignoraient totalement avoir été précédés sur le mont Beuvray par les représentants de deux civilisations antérieures. Ils appartenaient à l'ordre des Cordeliers et y vécurent entre le XIVe et le XVIIe siècles : ils n'étaient pas très nombreux - à peine une quinzaine, pense-t-on. On a retrouvé leur couvent, dont les murs étaient construits avec du mortier, alors que les Gaulois n'utilisaient pas cette technique.

Le «*murus gallicus*», qui enserrait la ville de Bibracte, on l'a reconstruit à la porte du Rebout sur quelques dizaines de mètres, selon la méthode de l'époque, c'est-à-dire avec de la pierre, de la terre, du bois et des clous, et il illustre parfaitement la physionomie de l'entrée de la ville et ses remparts.

Mais on a fait, récemment, une autre découverte, et d'importance. On avait cru longtemps, avec Bulliot et Déchelette, que la ville était ceinturée par une muraille d'une longueur de 5,5 km et occupait une superficie de 135 ha. On s'est aperçu qu'il existait d'autres remparts, un peu plus anciens et extérieurs aux premiers, d'une longueur de 7 km environ, ce

Et, pendant que se continue simplement et calmement la vie quotidienne, les fouilles se poursuivent au mont Beuvray, pour tâcher de découvrir comment vivaient nos ancêtres les Gaulois...

qui donnait à la ville, au début, une surface de l'ordre de 200 ha. Si l'on se rappelle que Gergovie, en Auvergne, n'occupait qu'une aire de 70 ha, on mesure l'importance de ce que fut Bibracte.

Chose étonnante, Bibracte n'eut qu'une courte existence : du IIe siècle avant J.C. jusqu'au Ier siècle après. Les personnes qualifiées disent plus précisément de -150 à +40. Grâce aux bons rapports - commerciaux notamment - existant avant la conquête entre les Eduens et les Romains, ceux-ci avaient pu apporter à Bibracte certaines méthodes d'urbanisme. Les Eduens résolurent de refaire le centre de leur cité : ils détruisirent des habitations et reconstruisirent à la romaine, avec un quadrillages des rues significatif.

Après la création, sur les ordres d'Auguste, d'une nouvelle agglomération qui devait devenir Autun, les habitants de Bibracte abandonnèrent peu à peu leur ville. Les toits des maisons s'effondrèrent, les maisons elles-mêmes s'écroulèrent pierre après pierre et, au fil des décennies et des siècles, la terre végétale recouvrit tout. Seuls, les thermes et un temple ont subsisté jusqu'au début du IVe siècle.

Quelques maisons qui ont été mises au jour au Beuvray font penser aux demeures patriciennes de Pompéi. On s'aperçoit qu'elles possédaient notamment des hypocaustes, sorte de chauffage central par air chaud en sous-sol.

Ce qui frappe le plus, c'est peut-être une immense maison romaine, dite *«Parc aux chevaux n° 1»* : elle occupe une superficie globale, jardin compris, de 4 500 mètres carrés : elle devait être occupée par une famille et sa domesticité - en tout, vraisemblablement, une cinquantaine de personnes.

On voit aussi bien d'autres choses, en particulier un bassin monumental de 11 m de long découvert en 1978 par une équipe espagnole, et une nécropole, avant l'entrée de la ville, découverte en 1992.

Un coup d'oeil au passage sur la maison qu'au siècle dernier fit construire Gabriel Bulliot et que les visiteurs appelaient avec humour *«l'hôtel de Gaules»* : il y habita plusieurs mois par an pendant trente ans. Il n'avait certes découvert qu'une infime partie de Bibracte, mais il fut, si l'on ose dire, le pionnier d'une grande aventure reprise aujourd'hui et qui durera encore des années.

Dans l'immédiat, trois projets sont en cours de réalisation. D'abord, un musée européen de la civilisation celte au col de Rebout : pour ne blesser aucune susceptibilité départementale, il a un pied dans la Nièvre et un pied en Saône-et-Loire. Ensuite, sur le territoire de la commune de Glux-en-Glenne, un centre archéologique européen comprenant des laboratoires de recherche et un centre de documentation. Enfin la poursuite de l'aménagement du Beuvray et la présentation des fouilles au grand public.

Ainsi le mont Beuvray deviendra-t-il, comme Vézelay, mais pour d'autres raisons, l'un des hauts lieux du Parc naturel régional du Morvan et du tourisme régional. Et il est même question de créer une autoroute reliant directement Avallon au mont Beuvray. Qui donc pourra dire alors que le Morvan est isolé?

Un des points forts agricoles de l'économie du Morvan : l'élevage des boeufs charolais.

Le lac de Pannesière-Chaumard. Bien qu'ils soient pour la plupart de création récente, les lacs du Morvan s'harmonisent parfaitement au paysage.

L'AME D'UNE RÉGION

Saulieu, l'état d'esprit gourmand.

Lac des Settons. Loin de toute mer, les Morvandiaux apprécient particulièrement leur lacs.

Il serait vain de répéter que le Morvan n'a pas d'unité historique, qu'il est ou ne fut ni département, ni province, ni fief, ni diocèse. Joseph Bruley a parfaitement raison de le comparer, sur ce point, à la Brie ou à la Limagne. Le Morvan est une réalité essentiellement géographique, une unité économique et naturelle très caractérisée, peuplée de gens qui se reconnaissent des traits communs. C'est un petit monde organique, biologique et humain à part.

Mais un monde pauvre. Si, en 1790, il avait formé un département, celui-ci aurait disputé à la Lozère, aux Alpes-de-Haute-Provence et à la Corse le titre de département le plus déshérité de France.Cette particularité, cette pauvreté qui lui colle à la peau depuis des siècles, le Morvan est peut-être - on vient de le voir - en train de la perdre, grâce aux efforts du Parc naturel et du P.R.D.C.

Demeure toutefois, et, espérons-le, demeurera, un pays non défiguré, un pays sans pollution, un pays d'oxygène et de chlorophylle. On a pu parler à son sujet d'oppressante beauté de la nature, et d'aucuns sont allés jusqu'à dire qu'il représentait la Nature absolue.

On y vit vieux. Une récente étude faite à Saint-Léger-sous-Beuvray a montré que, sur les 600 habitants de la commune - on peut noter, au passage, que ces habitants s'appellent les Léodégariens - il y avait plus de cent personnes âgées de plus de 70 ans, dont quarante-cinq ayant dépassé les 80 ans.

Le Morvan, c'est encore un pays plein de poésie, et qui a la coquetterie de se montrer différent au gré des saisons.

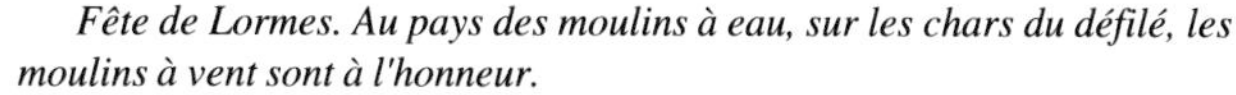
Fête de Lormes. Au pays des moulins à eau, sur les chars du défilé, les moulins à vent sont à l'honneur.

L'âme d'une région, c'est d'abord l'esprit de ses habitants. Les Morvandiaux sont réputés froids. Il suffit de les connaître et ils deviennent chaleureux et accueillants.

Quelques Morvandiaux dans leurs activités : Ramassage des plantes médicinales - Décoction maison toute... médicinale à Champeau - A la fête de la batteuse de Planchez - Le bouilleur de cru à Saint-Père-sous-Vézelay.

Alors que les nouvelles doctrines philosophiques et littéraires de nos jours enseignent que l'existence, le seul fait d'exister, est abominable en soi, la vie un cauchemar désespérant, l'humanité une pourriture, l'univers entier une horreur, n'est-il pas un peu ridicule de parler des fleurs du printemps?

Les artistes continuent de les peindre. N'ayons pas honte de les chanter. Demandons-leur, sinon la joie, au moins le courage et la patience de vivre.

Un personnage de Pirandello dit à un pauvre diable écrasé par la vie : «Lève la tête. Il y a les étoiles...» Les fleurs sont les étoiles de la terre. Elles s'allument, au printemps, dans les ramures des arbres; elles y font resplendir des rougeurs d'aurore ou des blancheurs de neige. Et il n'est même pas besoin de dresser la tête pour recevoir la consolation de leur sourire. L'homme que le temps ou le malheur a courbé les a sous les yeux. C'est en se penchant qu'on les voit le mieux. Il faut souvent les chercher.

J'ai cherché les primevères de mon petit jardin; j'allais dire de ma pelouse, mais il y en a autant dans les allées. Leurs nuances vont du blanc-crème au mauve pâle, elles n'aiment guère les tissus voyants. Des mouchetures jaune-d'oeuf teintent le creux de leur corolle, et les lobes de leurs pétales sont si délicatement découpés qu'on pointe le doigt pour en caresser les contours.

Je les ai observées de près. Je crois bien que, si on les laissait faire, elles fleuriraient sans arrêt, tout le cercle complet des douze mois, - comme des gamines montées sur un manège forain, que cela amuse de tourner et qui n'en veulent plus descendre.

Pourtant, au fort de l'été, les petites primevères prennent mal au coeur. Elles s'alanguissent, se recroquevillent, laissent aller leurs graines aux baisers chauds du vent, tournent de l'oeil et s'évanouissent sur la couche toujours verte et vicace de leurs feuilles. Mais aux premières fraîcheurs d'automne, des boutons renaissent, pareils à des yeux qui ne demandent qu'à s'ouvrir. Ils font le mort, sous la neige ou la glace, tout en guettant la belle saison future. Ils veulent être les premiers à la saluer.

Paul CAZIN

Et toujours la trilogie, quelle que soit la saison : le bois, la pierre et l'eau.

Au printemps - un printemps plus tardif qu'ailleurs - quand chantent à nouveau sources et ruisseaux, quand les oiseaux recommencent à gazouiller, les insectes à bourdonner et les bourgeons à éclore, les forêts abandonnent leurs tons roux, les prés s'habillent de vert tendre, et les genêts donnent aux landes une intense luminosité.

En été, les fleurs, qui devinent la précarité des choses et la relativité de la durée, chantent de toutes leurs couleurs, et la digitale, dont le vent secoue les cloches roses, prend des allures de glaïeul. La forêt offre un refuge de fraîcheur et de silence, et propose au promeneur ses cèpes et ses girolles.

L'automne est probablement la plus belle saison du Morvan, qui sait se draper dans un manteau aux composantes si diverses de jaune, de marron, de grenat, de pourpre, de cuivre et d'or. En septembre, les premières touches sombres apparaissent sur le grand rideau vert. Puis, jour après jour, changent les teintes, qui vont jusqu'à la rouille et au flamboiement : c'est le hêtre qui, dans cette symphonie, jette la note la plus vibrante.

L'artisanat d'art compte hélas! peu dans l'économie morvandelle. Souffleur de verre à Avallon. Art paysan et tissage traditionnel à Pierre-Ecrite.

L'hiver enfin : la nature se met en sommeil. La neige et le gel arrivent tôt, qui décorent les grands arbres et étouffent les bruits. Mais la vie se poursuit à un autre rythme : le ruisseau continue à couler ses eaux sous la glace, et la sève à circuler dans les arbres. Dans les maisons isolées, reliées au monde extérieur seulement par le téléphone et la télévision, les familles morvandelles se réunissent près de la grande cheminée où flambe le feu de bois. On parle, on raconte, on se tait aussi, on songe, on mêle sa rêverie au spectacle de la flamme, et, lorsque l'on tarabuste l'une des bûches, jaillit aussitôt une gerbe d'étincelles qui, un instant, illumine les visages.

En 1978, la Société des auteurs de Bourgogne avait tenu son assemblée générale annuelle à Château-Chinon, et Jean Séverin, né et domicilié à Montreuillon et l'un des chantres actuels du Morvan, avait été chargé de faire, à cette occasion, un exposé sur la littérature morvandelle. Devant ses confrères et ses consoeurs des quatre départements de la Bourgogne, il évoqua les auteurs disparus.

Parcourir les forêts du Morvan en roulotte. De quoi écrire des poèmes ou des chansons.

Vélo tous terrains : ces trois mots prennent tous leur sens au centre Sport et Loisir d'Uchon, comme dans tout le Morvan.

Dans l'énumération qu'il fit des personnes ayant écrit, il n'eut garde d'oublier Claude Tillier, Jules Renard et Romain Rolland : bien qu'ils n'aient pas vraiment acquis dans la littérature française, et notamment le premier d'entre eux, toute la place qu'ils méritent, ils furent et demeurent les trois plus grands. Mais, il ne le cacha pas, il faisait, là, un peu d'«*annexionnisme*», car Clamecy d'une part - pour Tillier et Rolland - Chaumot et Chitry-les-Mines d'autre part - pour Renard - ne sont pas des localités du centre du Morvan.

Le coeur de la région a été longtemps pauvre en écrivains. S'il rendit un hommage mérité à Chambure, auteur, en 1878 - un siècle exactement avant la réunion littéraire en question - d'un glossaire, Jean Séverin regretta que le Morvan n'ait pas eu de Mistral : il est vrai qu'alors l'Université rurale n'en était qu'à ses premiers balbutiements.

Parmi les auteurs qui vécurent au XIXe siècle et au début du XXe - époque où le Morvan affirmait encore son identité culturelle par une civilisation orale, baignée de songes et de légendes - il dit avoir trouvé «*quelques docteurs en rupture de malades, quelques oisifs en mal de lyrisme, mais avant tout un gros bataillon de curés et d'instituteurs : les premiers se réservant les monographies et la petite histoire, en guise de sermon, pour montrer l'action de la Providence - les autres cultivant la vie quotidienne, les coutumes, avec les digressions morales pour exalter les vertus de la République*».

Et de constater que ces hommes avaient des caractéristiques communes. Ils n'étaient pas vraiment des écrivains, ils meublaient plus simplement leurs loisirs par l'écriture. Et ils ne produisaient pas pour le reste de la France : ils célébraient la liturgie du Morvan pour les seuls Morvandiaux.

Parmi eux, le bon abbé Baudiau, qui avait un amour du pays presque aussi profond que l'amour de Dieu : «*On part sur les chemins gaulois, on fouille les paroisses, les châteaux, les abbayes, et le soir, à la chandelle, après le bréviaire et avant complies, on entreprend une monographie sur chaque ville et village*».

De Tannay (sur la photo) à Vézelay, la vigne morvandelle retrouve tout doucement, en A.O.C, quelques-uns des hectares qui firent sa réputation autrefois.

A Lichères, à proximité de Vézelay, on procède à la mise en bouteilles.

Plus tard, donc plus près de nous, on vit éclore les oeuvres des Henri Bachelin, des Jean Bonnerot, des Henri Perruchot, des Joseph Pasquet, des Paul Cazin. Et parmi les vivants - ou tout récemment décédés - il en est huit ou dix grâce auxquels nous est conservée l'âme du Morvan : René Prétet, Roger Denux, Lucien Hérard, et aussi Joseph Bruley, Julien Daché, Marcel Barbotte, Georges Riguet, Odette Yvars-Ploud, et d'autres encore, l'énumération n'est pas limitative... Ils ont tous connu le début de ce siècle qui s'achève, et ils nous l'ont fidèlement restitué dans leurs ouvrages.

Les sociétés culturelles? Il en existe à Autun, à Château-Chinon, à Avallon, à Clamecy. Mais il ne faut pas oublier la CAMOSINE - Caisse départementale des Monuments et Sites de la Nièvre - qui, pour avoir son siège à Nevers, n'en porte pas moins un regard intéressé sur le Morvan.

Tous les deux ans, depuis 1961, est décerné un prix littéraire du Morvan, qui atteint presque la notoriété du prix Bourgogne. De plus et surtout, il existe une Académie du Morvan, dont le siège est à Château-Chinon Elle fut créée en 1967 et elle regroupe des auteurs, des artistes, des enseignants, des journalistes, des savants. Les soixante membres titulaires sont choisis parmi les quelque 150 ou 200 membres correspondants.

Pourquoi, dans ces dernières pages, ne pas évoquer des activités telles que la pêche - les rivières du Morvan possèdent, entend-on dire, les meilleures truites de France - ou la chasse? Pourquoi ne pas reparler du canoé-kayak? Des vacances à la ferme, des gîtes ruraux, des chambres d'hôte, des gîtes et relais d'étape? Des randonnées pédestres, équestres ou cyclistes - ave ce V.T.T. qui est en train de conquérir la planète? Du canal du Nivernais et de ses péniches? Des roulottes tirées par des chevaux noirs, blancs, gris ou roux, que l'on voit en été, comme en Irlande, sur les routes buissonnières? Pourquoi ne pas, une nouvelle fois, évoquer les sous-bois qui se referment sur leurs secrets séculaires? Pourquoi ne pas encore dire un mot de ces eaux qui bruissent en sources, choient en cascades, tourbillonnent en torrents, glissent en ruisseaux, ou s'épandent en lacs - ces lacs tant prisés des touristes? Et pourquoi ne pas revenir à Jean Séverin pour dire : «*Certains pays se donnent. D'autres, tel le mien, se conquièrent. Mais c'est toujours une histoire d'amour*».

Morvan toit de la Bourgogne? L'expression s'entend dans certaines bouches et se lit sous certaines plumes, et elle est assez exacte. Le Morvan occupe effectivement le faîte et à peu près le centre de la Bourgogne. Une Bourgogne sans vins, remarqueront sans doute quelques esprits chagrins. Que non! Sur les coteaux proches de Vézelay, à Tannay, et dans la vallée de l'Arroux la vigne est de nouveau présente. Et, à Autun, il existe un - mini - musée de la vigne et du vin.

Les Morvandiaux demeurent, malgré l'évolution, gens pratiques, gens pragmatiques. On a pu lire, dans un journal agricole, la petite annonce suivante : «*Cultivateur morvandiau, 40 ans, 1m80, B.S.T.R., épouserait compatriote correspondante, possédant tracteur*». Certes, de telles lignes peuvent de prime abord donner à sourire, mais plus du tout à la seconde lecture. Le brave homme commence par donner des renseignements montrant qu'il est solide, avant de signaler ce qui lui est indispensable pour faire valoir sa propriété. Lui, il est dans la force de l'âge, il pourra abattre du travail, et il est «bien sous tous rapports». On est donc en droit de supposer qu'il va trouver - qu'il a trouvé - une femme ayant autant besoin de lui que lui-même a besoin d'elle.

En 1901 avait été créée à Dijon une société - elle a disparu depuis, probablement dans la grande tourmente de 1914-1918 - désireuse de regrouper les personnes originaires du Morvan et se trouvant sans relations dans la grande ville. Cette société, qui s'appelait «*Appui fraternel des enfants du Morvan*», avait pris comme emblème une feuille de fougère, et comme devise «*Bon vent, bonnes gens*». Une fameuse façon de remettre à leur place les cuistres calomniateurs qui répétaient à l'envi le slogan contraire. Et «*Le Morvandiau de Paris*» n'hésite pas, aujourd'hui, à reprendre, de temps en temps, entre deux articles, la formule en caractère gras.

Au début de cet ouvrage, nous posions la question : le Morvan existe-t-il?

Maintenant, nous pouvons répondre.

Oui, le Morvan existe. Il existe dans ses forêts et dans ses eaux. Il existe dans ses châteaux, ses églises, ses musées et ses panoramas. Il existe dans ses villages, ses hameaux, ses huis et ses ouches. Il existe dans son folklore, ses traditions, sa musique, sa langue, ses fêtes et ses veillées. Il existe dans ses bûcherons, ses tailleurs de pierre, ses artisans et ses sabotiers. Il existe aussi dans son Parc naturel et dans sa volonté de vivre, de progresser, et d'épouser le XXIe siècle.

Le Morvan existe. Au passé, au présent et au futur. Nous l'avons mille fois rencontré.

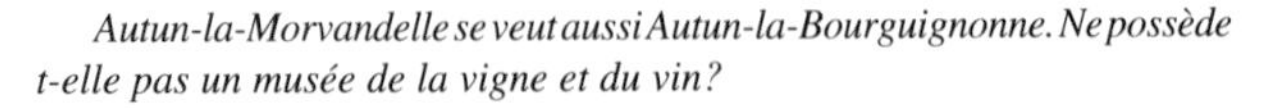

Autun-la-Morvandelle se veut aussi Autun-la-Bourguignonne. Ne possède t-elle pas un musée de la vigne et du vin?

INDEX DES NOMS DE LIEUX

BIBLIOGRAPHIE

ASSOCIATION DES AMIS DE LA MAISON VAUBAN (Saint-Léger-Vauban). - Promenades en Morvan. - Chartres : Sodexic, [ca 1987]

BARBOTTE (Marcel). - Les montagnes bleues : Roman. - Paris : Fasquelle, 1936. - (Bibliothèque Charpentier)

BAUDIAU (Abbé Joseph-Félix). - Le Morvand : 3 volumes. - Nevers : imp. Fay, 1854

BAZIN (Jean-François). - Le Morvan, Parc naturel régional. - Rennes : Ouest-France, 1992

BERTE-LANGEREAU (Philippe), LANDRY (Philippe). - Les moulins du Morvan. - Bourg-en-Bresse : La Taillanderie, 1992

BERTHEAU (Georges). - Vieux métiers et pratiques oubliées en Bourgogne, Nivernais, Morvan autrefois. - Roanne : Horvath, 1987

BERTIN (Danièle), GUILLAUMET (Jean-Paul). - Bibracte. - Rennes : Ouest-France, 1991

BONNAMOUR (Jacqueline). - Le Morvan, la terre et les hommes : Essai de géographie agricole. - Paris : PUF, 1966

BONNEROT (Jean). - Autun et le Morvan. - Paris : Renouard, H. Laurens, 1933. - (Les villes d'art célèbres)

BRULEY (Joseph). - Les gondoliers du Morvan. - Paris : Ed. de la Morvandelle, 1982

BRULEY (Joseph). - Le Morvan, coeur de la France : 3 volumes. - Paris : Ed. de la Morvandelle, 1964-1966

CANAUD (Jacques). - Les maquis du Morvan, 1943-1944 : La vie dans les maquis. - Château-Chinon : Académie du Morvan, 1981

CAZIN (Paul). - Paysages et types de Bourgogne, avec des lithographies originales de André Dulaurens. - Autun : Impr. Guignard et Koël, 1948

COLOMBET (Albert). - Bourgogne et Morvan. - [Paris] : Arthaud, 1975

DACHE (Julien). - Morvandiaux, mes frères. - Mâcon : Ed. Bourgogne-Rhône-Alpes, 1975

DRUON (Maurice). - Vézelay, colline inspirée. - Paris : Albin Michel, 1987

FARLEY (Francis). - Les étangs de Marrault. - Paris : Hermé, 1987

GRANDE ENCYCLOPEDIE (La). - Paris : Société anonyme de la Grande Encyclopédie, 1899. Tome 24, article Nièvre

GUILLOT-CHENE (Gérard). - Le flottage en Morvan, du bois pour Paris. - Paris : Garnier, 1979. - (Collection Hier le quotidien)

HENARD (Daniel). - Le grand flot : roman. - Paris : Baudinière, 1979

HERARD (Lucien). - Reflets de nos enfances. - Précy-sous-Thil : Ed. de l'Armançon, 1991

HOPNEAU (Luc). - Les pratiques guérisseuses dans le Morvan d'autrefois. - Mâcon : Groupe 71/Images de Saône-et-Loire, 1989

HUVET (Michel). - Côte d'Or. - Paris : Ed. de la Porte Verte, 1982

LACARRIERE (Jacques). - Gens du Morvan; photographies de Jean-Marc Tingaud. - Paris : Chêne, 1978. - (Collection Terroirs)

LALLEMAND (Roger). - La vraie cuisine à travers la France. 2. Le Nivernais. - Paris : J. Lanore, 1981. - (La cuisine de chez nous)

LANDRY (Philippe). - Pour se promener en Morvan et alentour... - [s.l.] : P. Landry;Château-Chinon : Lai Pouélée, 1988

LIVRE D'OR DE LA BOURGOGNE ET DU NIVERNAIS. - Paris : Impr. Gaschet, 1969

LEVAINVILLE (Capitaine Jacques). - Le Morvan, étude de géographie humaine. - Paris : A. Colin, 1909

MAGNIEN (Emile). - Villes et villages de Bourgogne. - Strasbourg : Editions Mars et Mercure, 1975

MORLON (Louis-Albert). - Une excursion dans le Morvand 1872. - Avallon : Ed. de Civry, cop. 1979. - (Réimpression de l'édition de Nevers, Michat, 1873)

NICOLAS (Henri). - Le guide de Saône-et-Loire. - Bourg-en-Bresse : La Taillanderie, 1989

OURSEL (Raymond). - Lumière de Vézelay. - La Pierre qui vire, Saint-Léger-Vauban : Zodiaque, 1993

PASQUET (Joseph). - Le Haut-Morvan et sa capitale Château-Chinon. - Nevers : Ed. Chassaing, 1955

PLOUD (Odette). - Filles du Morvan : Ma Man et moi. - Mâcon : Ed. Bourgogne-Rhône-Alpes, 1977

PLOUD (Odette) voir aussi : Yvard-Ploud (Odette)

PRETET (René). - Saône-et-Loire d'autrefois. 1. - Roanne : Horvath, 1981. - (Vie quotidienne d'autrefois)

PRETET (René). - Saône-et-Loire d'autrefois. 2. Chroniques de Saône-et-Loire : les faits et les hommes. - Roanne : Horvath, 1983. - (Vie quotidienne d'autrefois)

REGNIER (Claude). - Les parlers du Morvan. - Château-Chinon : Académie du Morvan, 1979

1. [Textes]

2. [Cartes]

3. Transcription des formes en orthographe française/Paule Bertrand

ROLLAND (Romain). - Colas Breugnon. - Paris : Librairie générale française, 1988. - (Le livre de poche; 42)

THEVENOT (Christian). - Bourgogne. - Paris : Larousse, 1988. - (La France et ses trésors)

VIGREUX (Marcel). - Paysans et notables du Morvan au XIXe siècle jusqu'en 1914. - Château-Chinon : Académie du Morvan, 1987

VIGREUX (Marcel). - La mémoire de Dun-les-Places, 1944-1989. - Nevers : Ed. S.I.N. Phobos, 1990

YVARD-PLOUD (Odette). - Mon village, terre morvandelle. - La Charité-sur-Loire : Impr. Delayance, 1981

YVARD-PLOUD (Odette) voir aussi : Ploud (Odette)

Guides

Guide Bleu Bourgogne /[direction Adélaïde Barbey]. - Paris : Hachette, 1987. - (Les Guides bleus)

Guide de la Bourgogne-Bresse-Morvan. - [Paris] Montalba-Vilo, 1978

MICHELIN ET COMPAGNIE. [Clermont-Ferrand]. Tourisme (Services). [Paris]. - Bourgogne, Morvan. - Paris : Pneu Michelin, 1987. - (Les guides verts Michelin)

RAT (Pierre). - Bourgogne, Morvan. - Paris : Masson, 1972 (Guides géologiques régionaux)

Périodiques et articles de périodiques

BOURGOGNE. Conseil régional. - Règlement-cadre : P.R.D.C. «Bourgogne centrale» [Programme Régional pour le Développement Coordonné de la Bourgogne centrale]. - Dijon : Conseil régional de Bourgogne, [ca 1989]

«La Gazette du Parc du Morvan», mensuel

GRACQ (Julien). - Carnets du grand chemin in «La nouvelle revue française», n° 456, janvier 1991, p. 16-17

«Le Morvandiau de Paris», mensuel

«71 - Images de Saône-et-Loire», revue trimestrielle

«Teurlées», journal que cause morvandyau, trimestriel

Achevé d'imprimer décembre 1993 - Dépot légal 4e trimestre 1993

Imprimé dans la CEE
Photogravure : Expertise Systèmes, 69100 Villeurbanne - Photocompogravure : Italic, 01000 Bourg-en-Bresse

KU-252-224

Olio *di* Oliva

Olio di Oliva

Cooking with the olive and its oil

MARLENA SPIELER

APPLE

A QUINTET BOOK

Published by The Apple Press
6 Blundell Street
London N7 9BH

ISBN 1-85076-956-7

This book was designed and produced by
Quintet Publishing Limited
6 Blundell Street
London N7 9BH

Creative Director: Richard Dewing
Art Director: Clare Reynolds
Designer: James Lawrence
Project Editor: Clare Hubbard
Editor: Jane Hurd-Cosgrave
Photographer: Janine Hosegood
Food Stylist: Emma Patmore

Typeset in Great Britain by
Central Southern Typesetters, Eastbourne
Manufactured in Singapore by
Pica Colour Separation Overseas Pte. Ltd.
Printed in Singapore by
Star Standard Industries (Pte.) Ltd.

Picture Credits
pgs 6/7 International Olive Oil Council; pg 8 California Olive Industry; pg 9 Life File; pg 10 (*top*) Alfredo Benavente Navarro, (*bottom*) Instituto Sperimentale; pg 12 (*top*) Frantoio Gaziello; pg 14 (*top*) Olive Oil Information Bureau; pg 16 Life File; pg 20 Life File.

Warning

Because of the risk of salmonella poisoning, raw or lightly cooked eggs should be avoided by the elderly, the young, babies, pregnant women and those with an impaired immune system.

contents

Acknowledgments

One of the great joys of working on this book was the experience of being awash with olive oil. The other was meeting so many other people who felt the same—cooks, importers, fellow food writers—all as passionate about olives and their wonderful oil as I am.

I would like to thank all of the following for keeping me so supplied with olive oil: Panayis Manuelides (Odysea); Alice Seferiades (Odysea); the Monks of New Norcia, Australia; Rod Jeans (Messara); Elaine Ashton (Grania and Sarnia); Gianni and Pamela Parmigiani (whose appreciation and high quality of their olive oil is equalled only by their luscious Parmesan cheese); Lisboa Patisserie (Portuguese oil); Priscilla Carluccio (Carluccio's); David Roberts and Paolo Ardisson (John Burgess Exports); Charles Carey (Donatantonio Plc); Adrian Francis (Marks and Spencer); Carbonelli; Fresh Olive Co. of Provence; The Olive Press (California oil); Jon Eaton (The Beverly Mustard Co.); Mr. Silva and Mr. Gomes (Portuguese olive oil).

I would also like to give a special thanks to: Maria Jose Sevilla, and Foods and Wines of Spain, for olive-oil pressings and tapas throughout Spain; Mike Callaghan of Friends of the Olive Groves, Athens, Greece, for taking our group of food writers to Greece last summer, and bringing us to Mount Hymettus for the blessing of the olives; to Dr. Stefano Raimundi and the Italian Trade Commission for their help in all matters Italian; The Olive Oil Council (and all at Graylings PR who work with them, especially Caroline Black); Sally McCormick of the California Olive Oil Council; Edite Philips for her Portuguese olive-oil enthusiasm and help; to Anne Dolamore, Rosemary Barron, and Judy Ridgway for sharing their knowledge of the world of olive oil in their excellent books; Elaine Hallgarten for her samples of Israeli olive oil and to Richard Frenkel, Derek Monday and everyone at Frenkel Oils, Ltd.

Nuñez de Prada invited me to an olive pressers' breakfast in Baena, and I shall never forget it (nor their salmoreja soup!). Schwartz Spices sent me a box of marvellous spices and mixtures, which found their fragrant way into many of the following recipes. Lynne Meikle at Tate and Lyle provided a wonderful sugar selection, which showed me just how good using olive oil to bake cakes and pastries with olive oil could be. I have also enjoyed using Le Creuset pots and saucepans increasingly every time I have discovered a new size and shape—their grill pan is the current star of my stove, perfect for preparing olive oil–scented, grilled dishes.

To Leah Spieler, always my little girl—even if she is grown up and almost a doctor. To John Harford for his enthusiasm regarding vegetables and everything, really. To Gretchen Spieler, just because.

To friends who ate: Rabbi Jason Gaber; Dr. Esther Novak and Rev. John Chendo; Sue Kreitzman; Sri and Roger Owen; Paula Eve Aspin and Richard Hudd; Amanda Hamilton and Tim Hemmeter; Sandy Waks; Kamala Friedman; Fred and Mary Barclay (who brought me olives from their home in Cyprus); Nigel Patrick and Graham Ketteringham; Jerome Freeman and Sheila Hannon; Paul Richardson; and my colleagues at the San Francisco Chronicle: Michael Bauer, Fran Irwin, M.A. Mariner and Maria Cianci.

To my family: my parents, Izzy and Caroline Smith; Aunt and Uncle Sy; Estelle Opper; all my little cousins; and especially my grandmother, Sophia Dubowsky.

Thanks also to my very patient agent, Borra Garson; my olive-o-phile husband (who is also my publicist and manager); Alan McLaughlan; and that always-fine cat, Freud, without whom my kitchen would be a less-interesting place.

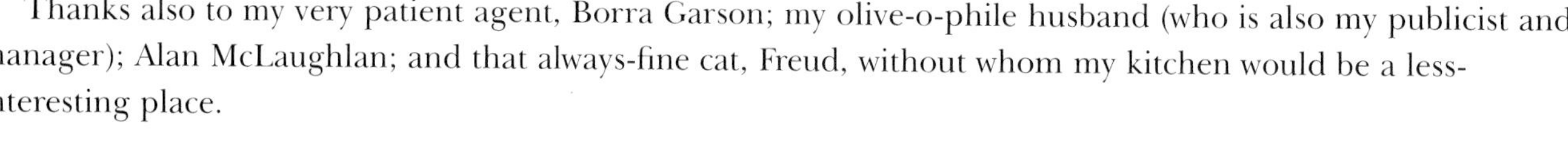

Preface

Resting in the shade on a very hot day, covered with a gaily coloured cloth, stood a little table. On it was a plate of juicy, ripe tomatoes dripping with strong, fruity, olive oil and scattered with shiny black olives. There was also a rustic loaf of crisp-crusted bread, the sweet scent of summer in the air, and the lazy hum of bees.

I was about 17 years old when I sat in the Mediterranean afternoon sun, eating this lunch. The olive oil was rich and fragrant. It glistened on the tomatoes, on the bread and on my fingers, which I could not stop licking. And the olives! Meaty, juicy, saline, slightly bitter and utterly delicious. I had grown up in California eating mild (some call them insipid), "ripe" olives—but I had no idea that olives could have such incredible flavour! I was smitten by this most ancient of fruit, and I have little doubt that the olive was instrumental in turning me away from my art education to point me in the direction of the kitchen.

When I returned to my California home, and began the journey to adulthood that starts by having your own apartment, I discovered something on the supermarket shelves: in a gold-coloured can, with a very simple label, was some California-made olive oil. I bought it. It tasted green and grassy, and at once conjured up the olive-scented foods I had grown to love in the Mediterranean. I could not believe this wonderful fact: olive oil, grown and pressed locally, was on my supermarket shelves, and was also affordable! It had been there all along, only I hadn't noticed it.

My friends and I cooked and cooked, gave dinner parties, went to cooking classes and travelled, always for the pleasure of eating. Olive oil was a large part of this cooking and eating extravaganza—it made everything taste so wonderful. Supermarkets, speciality shops and delis seemed to be following us around, as they now began to devote shelves upon shelves to olive oil, where, before, there had only been one or two bottles. The next big discovery was the health benefits of the Mediterranean diet. Until then, most people still believed the major oil refiners' advertising, perceiving olive oil as an expensive indulgence, and a very unhealthy food. They claimed that margarine was more healthy. I instinctively knew differently—the people I had seen in the Mediterranean were so healthy, so active and so very old, it couldn't be true. Suddenly, the Mediterranean diet was splashed throughout the press, and everyone was using an olive-oil diet for health purposes (and drinking red wine, too!).

above ***A variety of succulent olives.***

Since then, my delight in the olive has continued to grow. It is a subject that fascinates me as much as it provides nourishment, since there is so much ritual and history packed into this healthy and pleasure-giving fruit. So much has my life revolved around the olive, that when my husband and I married, in a vineyard in California's Sonoma county, we planted an olive tree on the spot we exchanged our vows. And we are now awaiting our first crop!

Marlena

Introduction

Olives reveal more of themselves and offer enjoyment the more you taste and learn about them. Like wine, the preparation of olive oil is an ancient ritual of crushing the fruits and preparing them that is rooted in both soil and traditional custom.

above **Young olives growing in a Californian grove.**

Most Mediterranean lands eat olives and their oil with bread for breakfast, with bread and wine as a before-dinner snack or (in Christian countries) with bread as a fasting meal for Lent. I am reminded of the monastery of Khrysorroyiatissa, north of Paphos on the island of Cyprus, where every visitor is given a traditional offering of bread, wine and olives, each of which has been produced by the monks on the island for over 800 years.

Olives and their oil have also become an intrinsic part of the way we in the U.S. and Northern Europe eat, as these pair brilliantly with the savoury flavours of garlic, chillies, vegetables, pastas, fish and lighter meats. Olive oil delivers a great, satisfying taste that takes the place of other, richer foods, such as creamy, cheesy or unduly sweet dishes. Olive oil is considered beneficial to health as it supposedly lowers the harmful low-density lipoprotein (LDL) cholesterol, while preserving the heart-protecting, high-density lipoprotein (HDL) cholesterol. Also, olive oil makes eating vegetables taste so wonderful that we eat more of them.

Olive oils, like fine wines, endlessly vary in colour, flavour and aroma. The reason for this wide variety of qualities in what is basically the same fruit from the same tree is a unique feature of the olive: regardless of which type was originally planted, over the many years of the tree's growth (and it can grow up to 600 years), it absorbs the flavours of its environment—the earth, the air, the winds and rains, indeed, the very soul of the people who cultivate it—which combine to create the final character of the individual fruit.

From the Ancient World to the New

The practice of cultivating the olive tree, *Olea europaea*, is so ancient that no one really knows when it first began. The olive tree has accompanied humanity's journey through history since prehistoric times, and is so intertwined with the stories of our past that it is impossible to ascertain who pressed the first oil or cured the first fruit.

The olive is believed to have been first cultivated in about 6,000 B.C. in what is now Syria and southern Iran, or possibly Greece. However, it was well known to the Egyptians, and seems to have been distributed throughout the central and western Mediterranean countries by Phoenician traders. It is often referred to in both the Old Testament and the Koran; other ancient people, too, attributed much of life's mystery to this potent, pungent fruit. In the days of the pharaohs, Ramses III planted olive trees around the town of Heliopolis, to provide oils to keep the lamps in the temples of Ra burning; also, three-thousand-year-old mummies have been found preserved with olive oil and surrounded by olive branches. Cured olives were often left in the pharoahs' tombs to provide food for the afterlife.

The Phoenician Greeks brought the first olive trees to Provence in about 6,000 B.C., and the Romans planted the first olive groves in Tunisia, where they remain a hugely important crop today (one in every eight Tunisians works in the olive-oil industry). The ancient Greeks believed that wisdom came from the olive; Plato is said to have walked his students through olive groves for inspiration, and local lore maintains that his tree still lives. In fact, near Athens, you will find a very old tree marked with a plaque designating it as 'Plato's tree'.

Olive oil has also retained a place in religious rituals of respect. If you visit Archbishop Makarios' tomb in the mountains of Cyprus, you can still see jars of the rich local green oil, left by the faithful as a mark of devotion.

Peace, too, was an offering of the tree: Greco-Roman mythology relays the story of the goddess Minerva striking the ground with her sword, which caused an olive tree to sprout, moving her to trade her implements of war for the olive branch of peace. The Old Testament (Genesis) describes the dove returning to Noah's Ark from Mount Ararat with an olive branch in its beak, showing the signs of hope as the flood waters subsided. Today, the olive branch is still used as a symbol of peace, and is in fact the symbol of the United Nations.

Excavations in Crete unearthed evidence that in 3,500 B.C., olives played an important part in the ordinary diet. Greek myth says that the goddess Athena created the first olive tree during a contest of creativity to come up with the most useful invention. Although Poseidon created the horse, the gods favoured the generous, lyrical tree, and Athena was rewarded by Greece's capital being named after her.

By Roman times, olives represented a major part of both diet and commerce. The Romans ate olives as an antipasto, just like today, and believed olives to be an aphrodisiac. When the ruins of Pompeii were unearthed, crocks of preserved olives were found there. The Romans spread the gnarled, silver-green–leafed tree throughout the rest of the Mediterranean. By the time Rome fell, the olive tree was flourishing.

The importance of olives and their oil remained a largely Mediterranean discovery until 1560, when olive cuttings were taken to Peru by the Spaniards. In the 1700's, Franciscan priests brought the olive to Mexico, and northward along the mission trail that colonized

below ***A tiled sign advertising olive oil in Cantabria Province, Spain.***

the area that then belonged to New Spain, then Mexico and finally the U.S., when it became the state of California, where the olive industry is now booming. A famous Eastern Seaboard resident, Thomas Jefferson, once tried to grow olives at his home in Monticello, but the climate was too cold for them to flourish.

In the late 1800's, the olive was successfully transported to and cultivated in Australia, and shortly thereafter, was also introduced to South Africa by a fellow named Costa, I am told.

Many famous artists, among them Renoir, Van Gogh, Picasso and Marcel Pagnol, all saw inspiration in the olive, immortalizing the gnarled tree and its fruit in their paintings.

Olive oil is one of the rare, happy stories in the progress of food technology and tastes. Whereas only a few years ago, olive oil was being neglected in favour of other cooking oils, most olive-producing areas of the world are currently celebrating their increasing olive growing and harvesting business, as more and more consumers yearn for the rediscovered qualities that olive oil uniquely provides.

above **Picking olives in the Abruzzo region of Italy.**

Growing, Harvesting and Pressing Olives

The olive tree prospers in areas where the summers are long, hot and dry. It is an evergreen tree, and in addition to the hot summer, needs a winter cold enough to frost. The Mediterranean grows most of the world's olives, but many other countries or regions, including California, Argentina, South Africa and Australia–even China–grow olives. And some of the olive oil from these lands is remarkable.

An olive tree needs five to six years to produce a respectable yield of fruit; the tree reaches its full fertility at about 20 to 25 years of age, when they can yield up to 20 to 41 kilograms/45 to 90 pounds. Many olive trees only produce olives every other year, though some bear annually.

There are many, many varieties of olive tree, each with its own distinctive taste, scent and oil level—some olives are rich and flavourful, but yield little oil. These are best for eating. Other olives are rich with oil, and these are the ones used for pressing. While the olive itself is determined by its botanical characteristics, it is formed, moulded and changed by the climate and soil of the lands where it is grown. The olive tree adapts readily, hence the wide array of flavours from the final oil.

The tree blossoms in May and June, and then produces tiny berries that grow to the fleshy, hard-stoned fruit we are familiar with. Harvesting can take place anywhere from late October to February, depending on the weather of the region of cultivation. The olive ripens and changes colours, from green, to purplish, then reddish, then black; at this point, most olives have their maximum amount of oil. It takes

below **A rugged, sun-baked grove in Sierra de Segura, Spain.**

Quotes and Proverbs about Olives

(Spanish) *"Como la oliva verde es el querer que te tengo sumiso y blando por fuera, entero y fuerte por dentro."* "My love for you is like the green olive, yielding and soft on the outside, sound and strong on the inside."

(Provence) Today's rain brings tomorrow's olive oil.

(Italy) *"Olio nuovo e vino vecchio."*—New oil and old wine.

(Greek) Welcome, little olive, and your sweet, sweet oil (from a Corfiot folk song).

about 5 kilograms/11 pounds of olives to produce 1 litre/1¾ pints of oil, and each tree can produce 3 to 3.5 litres/5¼ to 6 pints of oil per year.

The timing of the harvest determines the oil's flavour. Each variety has its peak of maturity, when that particular olive is best for its oil. In Tuscany, olive picking generally starts in October, often the day after the end of the grape harvest, when the olives are green, firm and lightly underripe. In Spain, November is harvest time. In Greece and Cyprus, some are picked early, when green, but others are left to ripen to an oily black, often still being picked as late as February.

Underripe fruit gives a different flavour—too green, and you risk too much bitterness; but the right level of underripeness of some olives yields the best, bitter edge. Leaving the olives on the tree until they are ripe or overripe, harvesting as late as the middle of winter—even from olives that lie on the ground having fallen off on their own accord—gives some olives a stronger taste, yet others a too-high acidity level. In Portugal, olives are picked when very ripe. This may be an acquired taste, yet it seems a compelling one.

While fresh olives seem robust and hearty, they are in fact easily bruised, and when injured, develop bad flavours. Hand-picking gives a superior result, with lower acid and cleaner flavour, but it is very expensive. Greece is famous for the frequent sight of old ladies dressed in black, beating the trees so that the olives fall into cloths set on the ground. Less picturesque are the workers combing them onto nets hung from the trees.

In some places, olives are harvested in a more passive way: nets are stretched on the ground to catch the olives as they fall, and the nets are emptied every so often. This is convenient, but the cloths must be emptied often, as the olives start to oxidize as soon as they leave the tree, and in warm climates, begin to deteriorate immediately. Generally, three days is the maximum—any longer, and the olives ferment or oxidize, giving the oil unpleasant flavours and defects.

There are two methods of extracting oil from olives. The first is the *traditional* way: the olives are washed once, then pulped in a revolving mill, with the paste spread on mats. Then the mats, with their olive-purée spread, are piled up and pressed. The liquid that collects contains both water and olive oil, with some impurities and debris. Placed into a centifuge or evaporated, the oil of the olive appears—cold-pressed, virgin oil, tasting of thick, fresh olives. This is called 'cold pressing'.

Modern extraction washes the olives up to four times, then crushes the fruit into a paste using stainless-steel blades. This thick, sludgy paste of oil, water and solids is then placed into centrifuges at a temperature of about 20°C/68°F, which separates the slightly warm oil from the water and solids. A temperature higher than 30°C/86°F will damage the oil; it must remain lower to be considered cold-pressed. (By the way, no other vegetable oil is edible by just being pressed—the other seeds, grains, etc., all need to be filtered and processed in some way.)

In France and Greece, the final pressing of olive oil, which is too inferior to cook with, goes to make a lovely, green, olive-scented soap.

In the Mediterranean, olive trees dot the landscape, and many families have several on their land or in their gardens, growing just enough for their own consumption—jars of brined olives, baskets of salted olives and bottles of the fragrant oil. When I lived in Israel, a band of women from the nearby Arab village came to our house each winter when the olives were ready for picking, went away with great basketfuls, and returned a week later with crocks of preserved olives and bottles of oil.

above ***The modern centrifugal plant at the Frantoio Gaziello company, Liguria, Italy.***

Olive Oil-Based Cuisines

Throughout the Mediterranean, the rich, heady scent of olive oil permeates the entire dish of every cuisine, while markets offer a dazzling array of preserved olives, sold as great crocks filled with a painter's palette of colours, shapes and flavours. From the salads and *daubes* of Provence to the zesty pastas of Italy, from the intricately spicy North African dishes to the exotic Middle-Eastern stews and roasts, grills, sandwiches and street snacks, olive oil forms the most important flavour.

Indeed, in many countries, most breakfasts consist of bread and olive oil in various forms. In Spain, these are served with tomatoes and garlic; in Israel and the surrounding Arab countries, with pitta bread and a spicy mixture called *dukkah*; in Italy, magazine advertisements show a mother drizzling olive oil onto bread for her children, reading 'children need love ... and olive oil'.

But this passion for olive oil is not wholly Mediterranean, as the New World has also embraced the olive—today, modern American cuisine, particularly in California, is emphatically olive-oil–based, in much the same way as Mediterranean food. In northern California, you'll often find a saucer of olive oil along with your bread instead of butter, as the olive trees flourish throughout much of the Mediterranean-type climate of the state.

In South American countries, which also received plantings brought by the Spanish, there are examples of olive-oil–flavoured dishes. Peru has a number of olive-oil–flavoured dishes, especially the luscious *causa a la lemono*, a lemon-chilli mashed-potato salad largely flavoured with olive oil. Argentina also grows olives and presses their oil, though they seldom export it now. I have high hopes for tasting some of their oils in

above ***The quintessential Mediterranean breakfast—fresh bread drizzled with olive oil.***

List of Delicious Things to do with Olive Oil

• Use olive oil—a mixture of pure and extra virgin oils—for making French fries.
• Mix extra virgin olive oil into garlic butter.
• Fry eggs in a small amount of extra virgin olive oil (with cumin, paprika, etc.).
• On bread—chilled until it is firm as butter. In Provence, in deliciously rough places like Marseilles, a very fine, flavourful, extra virgin olive oil is traditionally chilled until firm, then spread onto bread.
• Stir extra virgin olive oil into soup: especially in Tuscan-style bean-and-pasta soups, such as the robust potage of garbanzos, pasta and vegetables known as *frantoio*, or oil-pressers' soup.
• Drizzle extra virgin olive oil onto bread, then sprinkle with garlic, diced tomatoes and a crumbling of goat's or feta cheese, sprinkle with oregano, and eat for a Mediterranean-inspired breakfast.
• Cook an omelette or scrambled eggs in extra virgin olive oil—add diced feta or goat's cheese, a handful of spinach leaves, a few sliced, wild mushrooms, or sautéed courgette slices.
• Deep-fry squid, potatoes, chicken, croquettes, or anything you like crisply fried, using pure olive oil with a little extra virgin olive oil.
• Use olive oil to brown French toast or pancakes.

the future. Chile and South Africa, too, are developing olive-oil producers. Another promising producer is Australia. The oil produced by monks in New Norcia, is one of my current favourites; a few drops of this oil gives a startlingly delicious hint of olive to any dish. Wonderful!

Enjoying and Storing Olive Oil

Store olive oil in a cool cupboard away from direct light; green glass helps to protect the oil from oxidization. Unopened and properly stored, olive oil should last 18 to 24 months, though its flavour fades from the moment it is pressed. Once the bottle is opened, the fragrance and flavour begins to pale, and rancidity occurs from six months to a year.

Olive oil does not need refrigeration. If refrigerated, the oil becomes thick and almost solid, opaque and cloudy. This does not harm the oil though, which returns to a liquid state when it warms up. However, it is hard to pour when it is so thick. In Provence, olive oil is sometimes chilled or even frozen, and enjoyed as a spread on crusty bread.

Olive oil is excellent for frying, as it remains stable at high temperatures–212°C/415°F which is higher than the 157°C/315°F of corn oil or the 160°C/325°F of sunflower oil. Pure olive oil is good for frying—it is less expensive than extra virgin oil. A good-quality, pure olive oil should have an olive scent when heated; if it doesn't smell enough like olives, add a generous amount of extra virgin oil to the frying pan along with the pure oil.

Though flavouring oils with garlic and herbs remains popular, and is recommended in many cookery books and articles, it is in fact a dangerous thing to do, as the oil seals in the ingredients, making it a perfect culture-growing medium for botulism and other bacteria. If you like flavoured oils it is best to buy them from the store. Commercially prepared oils are safer, since they have been sterilized and treated to discourage the growth of bacteria.

Tasting and Choosing Olive Oils

The array of flavour characteristics is wide and varied. Like art, music, literature and other civilized pleasures, olive oil yields its rich variety the more familiar you are with it. There are over 60 different types of olives grown in the world, some with a higher oil content, others with more flesh. The type of olive you have will dictate what you do with it: Kalamata olives, for instance, are delicious brined, but if you try to press them, you will have a disappointingly small yield. The Kalamata olive oil you buy in stores is oil from the Kalamata region, but it is Koroneiki, a different type of olives from the Kalamata enjoyed at table. Greek olive oil has a leafy quality, which I thought odd until I discovered that the leaves are pressed with the fruit, which contributes to the leafy aroma.

Tasting a few olive oils together informally can alert you to their variety, though if you taste more than five to six at a time, you will only be confused. For a successful, informal tasting session, purchase several

different types of olive oils, and set out a bowl of bread cubes and a plate of sliced apples along with saucers of the oils. This is not scientific, by any means, rather a social and interesting way to approach tasting the oils. You might like to add plates of thinly sliced vegetables, such as tomatoes, fennel, red peppers and artichoke hearts, for a salad-type feast, but for strictly tasting the oils, omit the salad.

Professional olive oil tasting, however, is serious business—when the olives are picked and pressed, the oil that is exuded is not necessarily perfect. There are a wide variety of defects, any one of which can ruin the oil. If the olives are bruised, the oil's acidity may be too high. If the olives have moulded, the oil will be musty. Therefore, all olive-oil producers have olive oil tasters, able to identify unpleasant flavours and smells from various batches. The vocabulary of tasting olive oil is similar to that of tasting wine (or beer, coffee, tea or indeed any complex liquid). Nuances, fragrances, colour, bouquet, flavours and aftertastes are all parts essential to the whole quality of the oil. There are also numerous laboratory tests put to the olive oil to test its composition.

The consumer, though, is in a more difficult position. You want an oil that gives you pleasure, that you can use with abandon, rather than an expensive luxury to dispense with each miserly drop. Olive oil is a commodity, a life-enhancing food, meant to be generously drizzled over salads and splashed into soups, dripped onto bread and even made into cakes. Therefore, you want an oil that is reasonably priced.

Choosing the best-quality and best-value oil is not such an easy task. While you can appreciate the occasional, exquisite treat of a very, very, fine oil, it is the everyday, good oil that gives its distinctive personality to your food. There should be no elitism involved in choosing an olive oil.

above ***Choose your oil carefully, as there is a vast array of products available.***

below ***Labels used on the extra virgin olive oil produced by Fattoria Dell'Ugo, Italy.***

An Olive Pressing in Andalusia, Spain

On a hazy, chilled, November day, I visited the Santa Lucia olive-oil factory in the Cordoba province of Spain, where the Nuñez de Prado brothers grow olives and press their fine oil.

We wandered through the damp fields, then on to the press, where the large, round, stone press was revolving, crushing the fruit. Black, slushy oil trickled out, running down a gutter into the centrifuge, where it emerged as sweet, fragrant, olive oil.

After the oil was pressed and bottled, we were treated to the delicious, traditional feast of an olive pressers' breakfast or lunch (since half of the workers arrive early in the morning during the harvest and pressing, and half of the workers stay until late, the midday meal is breakfast for some, and lunch for others). This is a feast of olive-oil treats, including a *salmoreja* (pureéd gazpacho of tomatoes, peppers, bread and olive oil, garnished with shreds of ham); crisp *croquettas* of ham, artichokes and potatoes, all fried in olive oil; salads of roasted vegetables; and fish grilled with a glistening of the oil.

Don't be swayed by designer labels—olive oil is not a fashion statement, it is a food. While many of the fashionable oils are good, they are often priced as much as five times their worth. And they are not always superior—a rather depressing point when you have just forked out £8 to £12/$15 to $20.00 a bottle! Most of the olive oils–90 percent–sold in this country are sold in supermarkets. Until recently, most of this has been inferior, rather insipid olive oil. Happily, this is now changing.

To taste olive oils like the professionals, do it first thing in the morning—before breakfast, and definitely before coffee. Do not shower with soap, and do not dab yourself with perfume, so you will be able to smell the oil clearly. Give the bottle a good sniff, then pour it into a spoon. Roll the oil in your mouth, aerating it a bit, as you would wine. Then, spit it out. You should have flavours remaining on your palate, like the peppery aftertaste of Tuscan oil, or perhaps an almond-like essence or a wood scent. Try to taste the lightest oil first, and then work your way to the strongest, as with wine. Many say that you should not spit, as the main sensations of taste continue around the top and sides of the mouth and tongue, and down into the throat. You might want to perform a combination of swishing, spitting and swallowing.

The tasters' vocabulary, officially drawn up by the International Olive Oil Council for professional tasters, is described here briefly. The following are styles of oils: 'aggressive' or 'pungent' refers to strong, initial flavours and/or aromas; 'bitter' is self-explanatory, and can be either pleasant or not. 'Delicate', 'fresh', 'fruity', 'strong', 'rustic' and 'harmonious' are all self-explanatory; 'sweet' means pleasant, and neither bitter, astringent, nor pungent.

Aromas and flavours range from the following: 'fruity', such as apple, banana, lychee, melon, pear, tomato and olive; 'verdant' includes eucalyptus, flowers, grass, leaves, hay, herbs, mint, violets; 'vegetal' includes avocado; 'earthy', 'rustic', 'nutty' refer to scents of almond, brazil nut or walnut; and some oils are even found to be 'chocolatey'! Taste for yourself: when the first signs of identifying specific aromas and flavours reach your palate, you just might find yourself squealing with delight as I did.

Terms and Types of Olive Oils

Extra virgin is pressed from the fruit of the olive tree by crushing, without the use of chemicals or heat, and will have a maximum free acidity of 1%. First cold pressing is still used as a description, since consumers are familiar with this term, but all extra virgin olive oil these days is from the first cold pressing. Whichever country your extra virgin olive oil comes from, there are three different levels of quality and character.

Mainstream oils are the sort of oils you'll find in supermarkets, often own-brands, and they can be excellent value. Often the quality is superb, depending on who is supplying the oil.

Fine virgin is no more than 1.5% oleic acid.
Virgin is pressed from the olives without heat or chemicals, with a maximum free acidity of 2%.
Semi-fine is no more than 3% oleic acid.
Regional oils have the distinctive character of the area in which the olives were grown, with identifiable aromas and flavour nuances. Regional oils will often be made from the olives of numerous mills in the area.
Estate oils are produced from oils grown on one particular farm. The olives will usually be handpicked and bottled on site. They are expensive and usually, exquisite.
Olive (also known as Pure Olive) is a blend of olive oil which has been refined, then mixed with a percentage of extra virgin olive oil. Some pure olive oils can be quite good, it depends on the amount and quality of the extra virgin oil added. You can add your own extra virgin oil to make a balance you enjoy; the ratio is usually around 85% refined oil to 15% extra virgin. It should have a maximum free acidity of 1.5%.
Olive pomace is a blend of refined pomace olive oil with virgin olive oil. The olive pomace oil is extracted by chemicals from olive residues and then refined. It is also mixed in the same proportions as pure olive oil and has the same maximum free acidity.
Light olive oil is olive oil with a very small amount of extra virgin oil added. There are also blends of vegetable and olive oils, including ones that have absolutely no extra virgin oil added but are promoted as 'The Mediterranean Diet'. Do not be fooled.

above ***An aging olive tree with a split trunk, Alicante Province, Spain.***

The Best Uses for Olive Oil in Cooking

The answer to the question, "When is it best to use olive oil in cooking?" is—always! Few things that are delicious are not improved by olive oil, even many cakes and biscuits.

Many people, including those who should know better, suggest that for cooking one should use the pure-grade olive oil, and save the extra virgin for salads or for flavourings. While pure olive oil, mixed with a bit of extra virgin, is a good medium for deep-frying, and more economical as well, and homemade mayonnaise can be a little too oppressive with extra virgin olive oil, emphatically, I would still recommend using extra virgin olive oil for everything. Cook a selection of vegetables in extra virgin olive oil, and you have a feast. It's that simple. I have heard people, even food professionals say: "The flavour of the oil dissipates in the cooking," but this is not entirely true—the flavour perfumes the dish, and while it loses sight of itself perhaps, it becomes one with the food it cooks with. Others have said that they don't want the strong flavour of extra virgin oil when they are cooking, and though it is true, this is a matter of personal taste—I, for one, find its strong delicious scent and flavour exceptionally alluring.

For those who have grown up in the Mediterranean, using olive oil in foods is second nature. They are used to eating in the Mediterranean style, with tomatoes dripping in olive oil, olive oil on bread or oil drizzled into soup instead of cream, or oil-cooked vegetables, eggs, meat and fish. Life without it is unthinkable. They do not need to learn how and when to use it, they have grown up with it since childhood. Those of us who did not grow up in the Mediterranean need to be told how to choose and when to use olive oil, as we did not absorb it from our surrounding culture as a child.

A good way to stock your kitchen is to keep about three different olive oils in your kitchen at any time. One high-quality, cold-pressed varietal or single-estate oil, for drizzling over salads, roasted vegetables, pastas or bread and tomatoes. A cheap, well-made, commercial, extra virgin oil to cook vegetables, sauté chicken, or brush onto fish, or cook tomato-based sauces with. Then you might consider a pure oil or a mixture of pure and commercial-quality oils for deep frying, or any time you want a milder olive flavour. Often, I omit the last oil, and keep two different commercial, extra virgin oils instead, using them for all of my cooking needs. Potatoes fried in extra virgin olive oil are one of life's most delicious foods. As you develop your taste you will become more familiar with particular areas that produce oils you favour. Travelling broadens your palate with olive oils, and so often when I drizzle a little Tuscan, Greek or Spanish olive oil over a piece of bread at home, I am immediately transported by memories of holidays or travels by the scent and flavour.

below ***Stock your kitchen with a variety of oils.***

Olive Oils and Health

The role of fats in our diets is a contradictory one. The results are not yet in, but research continues to suggest that a diet rich in olive oil is healthy and can even lower cholesterol levels. Olive oil is high in vitamin E and antioxidants, which help keep the body's cells from aging, and being a monounsaturated fat, it also encourages a greater level of the high-density lipoproteins (HDL) that protect your arteries, while discouraging the formation of low-density lipoproteins (LDL) which deposits more cholesterol in the arteries. The increase in HDL may also help to prevent cholesterol deposits. In areas where the people eat a 'Mediterranean diet' high in olive oil with lots of vegetables and fish, and little animal fats, there is considerably less coronary disease as well as breast and bowel cancers.

Olive oil contains two of the essential fatty acids, oleic and linolenic acid, which the body cannot make itself. (Oleic acid is also found in mothers' milk, so it is no surprise that it aids normal bone growth.) Combined with its supply of vitamins E and A, it has the most balanced composition of fatty acids of any vegetable oil.

Olive Oils From Around the World

Labels are occasionally misleading. Though most bottled olive oils have labels stating 'bottled in Italy', that does not mean that the olives were grown there. Similarly, if it says 'pressed in–', the olives could have been grown in one country, pressed in another and bottled in yet another. And olives can come from different sources, too. There is no problem with this; it does not necessarily indicate inferior quality. It can, however, be confusing. Blended olive oils, like blended wines, can be good oils, but like wines, they are strongly affected by their geographical character—for example, the strong, delicious flavours of Greece, Tuscany or Tunisia, are each quite distinct.

above ***Alziari extra virgin olive oil is made from the tiny Caillette olive, producing an excellent oil.***

FRANCE French olive oils tend to be light, sweet, fragrant and pale-coloured, pressed from the *Tanche* that grow in Nyons, and the *picholine* closer to the coast. French olive oil is grown and pressed on a small scale, and in general is of a very high quality. Several of my current favourites include L'Olivier (from Nice–a bright-yellow colour with no hint of green, yet a delightfully assertive olive flavour, and Le Vieux Moulin (from the Nyons region): crisp and almost apple-like, with a sweet edge. Then there is Moulin Alziari, also from Nice–when you enter the little Alziari shop in Nice, you are surrounded by a world of olives, and barrels of good, sweet oil. It has an aroma of dried fruit that almost echoes the taste of asparagus.
Recommended Oils: The Fresh Olive Company of Provence, Huile d'Olive, Alziari, Emile Noel Organic.

SPAIN Spanish oils remind me of that old children's rhyme: "When she was good, she was very, very good, but when she was bad, she was horrid!" Actually, when Spanish olive oils are bad, they are simply dull (as are any, to be fair).

There are four established, demarcated regions of olive-oil production. Catalunyan oils tend to be appealing, fruity, almond-scented and vibrant. Borjas Blancas and Siurana in Catalonia press mostly Arbequina olives, and Sierra de Segura and Baena in Andalucia press Picual olives. But even the oils from outside these areas can be very good indeed. It is the mass market labels that have led me astray.

In Baena, Nuñez de Prado's traditionally pressed oil is hand-bottled, lyrically delicious and ripe with sensual flavours that conjure up tropical winds and exotic essences.
Recommended oils: Nuñez de Prado of Baena, Costa d'Oro, L'estornell organic, Carbonnel, Coumela.

below ***Cultivation on the Nuñez de Prado estate is totally organic.***

ITALY For many, Italy is synonymous with olive oil, and indeed there is a huge variety of olives grown and pressed for oil throughout the many regions of that country. Tuscan oils, especially from Lucca, have a reputation for being the best in Italy, and, many say, the world. With its peppery aftertaste and herbal, grassy flavours, Tuscan is the definitive olive oil.

Many of the other regions also have distinctive oils that are certainly more reasonably priced than the fashionable Tuscan oils. Ligurian oil, for example, is as light and vivacious as those from Provence, fruity Umbrian oils are sweeter and less bitter than their Tuscan counterparts and Molise oil, which is fresh and grassy, with a slow, subtle, peppery aftertaste. My favourite from Apulia, Masseria, a rich, ripe, deep olive-flavoured oil, is also a worthy variation.

Many Italian oils are in fact imported to Italy from Spain and Greece; this is not a criticism, as many of these oils are good. It is simply that mixing them obscures the geographical reference and character, and even if the oil is delicious, it is like a wine that has been blended rather than a varietal. Steer clear, however, of the mass-produced oils, as these can be disappointing.

Recommended oils: Novello, Santa Sabatina, Azienda Olearia del Chianti, Petro Coricelli, Clemente (la Zagare), Masseria.

above ***The olives used to make Iliada oil are harvested from groves situated around the city of Kalamata.***

GREEK Greeks consume more olive oil per person than anyone else on earth. Their extra virgin oils are strongly flavoured, rustic-tasting and bursting with Mediterranean energy. The Peloponnesus and Crete are the two biggest olive-oil producers, and their oils are mostly derived from the Koroneiki olive.

My personal favourite is Messara, though I recently experienced one bottle that thrilled me, while the other was insipidly flavoured. Ditto for Karyatis. However, both were fantastic when fresh.

If I had my choice, I would happily taste my way through various olive-oil flavours, but inevitably drift back to good Greek oils–perhaps because the time I spent on Crete enabled me to appreciate the lusty, full flavour of the olives.

Recommended oils: Messara, Solon, Karyatis, Kolymvari, Iliada.

PORTUGAL Portuguese oils tend to be gold-coloured, strongly flavoured, a bit overripe and though many are less than wonderful, I have often found them to be very useful in cooking. Sometimes a Portuguese oil might not hold up well in a proper tasting situation, yet when splashed onto a plate of tomatoes or a piece of fire-roasted fish, its deliciousness shines! Portuguese oils also tend to be quite reasonably priced.

Recommended oils: Quinta de la Rosa, 'Gallo' Victor Guedes.

USA (CALIFORNIA) Having spent much of my life buying my olive oil directly from the pressers, bringing my bottles and having the fragrant oil decanted directly into them, I found it interesting to compare Californian varieties with traditional Mediterranean oils. California oils tend to be fresh and light; though they sometimes have a rougher feel, they range from okay to very, very good, and the industry is improving through experimentation with different types of olive.

Recommended oils: Bariani, Napa Valley Olive Oil, The Olive Press (Glen Ellen), Conzorzio.

ISRAEL The best way to enjoy Israeli olive oil is to take an empty bottle to the nearest Arab village to have it filled with cold pressed oil. In Haifa, you will find a museum devoted to all sorts of edible oils, with a strong accent on olive oil. Exhibits cover the ancient methods of olive pressing to the modern techniques. Land of Canaan makes a lovely little oil, quite golden in colour, fruity and almond flavoured; there are also others, such as the oil put out by the Golan Winery, which will hopefully begin to be more available to those of us in the rest of the world.
Recommended oil: Land of Canaan.

TURKEY Ranking fifth in the world's olive-oil–producing countries, Turkey not only produces a huge amount of olive oil, its cuisine is entirely olive-oil based (Turkish folklore tells of the *imam* [priest] in the eggplant dish, *imam bayildi*, who ate so much olive oil he swooned).
Recommended oil: Beverly Mustard Co., Kristal.

opposite ***Different varieties of olives, served simply, are a perfect appetizer.***

below ***A mouth-watering display of olives on a French market stall.***

AUSTRALIA This was the surprise delight of this book! New Norcia olive oil, made by monks in Western Australia, is a sublime little oil. Seek it out.
Recommended oil: New Norcia. Unusual for its freshness and full flavour. Highly recommended, if you can get a bottle.

LEBANON Lebanese olive oil is beginning to make its way into our markets. I tasted a home-pressed, unlabelled sample; it was delicate and light, but not insipid, and reminded me a bit of Turkish olive oil at its best. I have high hopes for the oils from this area, as political tensions are easing and life is getting back to normal.

TUNISIA As the largest producer in North Africa, the olive is extremely important to the Tunisian economy, with more than 20% of the population working in the industry. About half the oil is exported to non-European Union countries.

MOROCCO AND LIBYA These countries also produce substantial amounts of olive oil, and enjoy a healthy cuisine based on it.

ARGENTINA AND CHILE Both of these South American countries have a substantial olive-growing and pressing industry, but at this point in time neither exports widely and I was therefore unable to taste any for this book.

NEW ZEALAND Produces small amount of high quality oil.

SOUTH AFRICA Production here is on a small scale, but the oil produced is of a high standard.

The Blessing of the Olives at the Monastery of Mt. Hymettus

One hot June day, I joined a group of food writers at the Monastery of Mt. Hymettus, Greece, for the monks' blessing of the olive oil. Surrounded by the lushness of the forest, the monks spoke to us of the richness that olive oil gives us, admonishing us not to worship the oil itself, but the divine forces that created this wonderful fruit, plucked from the garden we call life. We then tasted a range of oils. Each oil slowly yielded its differing and richly varied flavour, as we dipped into it with our chunks of breads, tasting each and moving around the table to taste the next sample. I was fascinated with the way the oils changed as I tasted them. Then lunch was served: a vegetarian feast of olive-oil cooked foods—*tourlu* (pg. 74), ripe tomatoes and feta cheese, black-eyed-bean salad with capers, and pasta with octopus—all tasting deeply flavourful and fresh, redolent of rich olive oil.

Curing and Different Types of Olives

The bitter flavour of the olive is caused by a substance called oleuropein. To be edible, the oleuropein needs to be removed by curing. The curing process also softens and preserves the olives, releasing their flavour. There are several ways of curing olives. The one chosen usually depends on the tradition of the geographical area in which the olives are picked, and also the type of olive you are dealing with.

Spanish tradition says that the first edible olives were discovered near the sea, the bitter fruit having fallen in and been cured by the bath of the salt water in the rock pools, much like the modern brine that is used throughout the Mediterranean. The herbs that grow on seaside rock—rosemary, wild fennel, marjoram, thyme and sage—added their herb flavours and scent, especially when gently heated by the sun, much like the marinades you often find olives bathed in. Essentially, this is the brine bath that most modern Mediterranean olives are cured in.

Another way to cure olives is to use a lye (in California) or a wood-ash (in Spain) bath. This gets rid of the oleuropein, but tends to dull the flavour, too. The resulting olive is the California 'ripe' or the mild olives sold in cans from Spain. Sometimes, olives are cured by a combination of the two methods, a brine soak after a lye bath.

A third way is to layer them with salt, and when their bitter juices have leached out, to pack them in olive oil or store them dry and lightly salted. I have only seen this done with black olives.

Throughout the olive-growing regions of the world, curing and seasoning olives is an art, a tradition, an essential part of culture and dining. And the variety is nearly endless. Some olives are tiny nuggets of strongly delicious, flavoured flesh such as niçoise, others are fat, green Gordals or Queens, nearly as big as hens' eggs, and full of juicy flavour.

In addition to the variety of grown olives, they may also be cured in salt or brine, soaked, or dry and wrinkled. There is also a wide array of marinades: green olives awash in harissa (a fiery-hot sauce from Tunisia) or green olives studded with lemon and cracked coriander seeds, green olives tossed with sun-dried tomatoes, and black olives cloaked in olive oil and oregano, or with onions, pimientos and carrots. Or they might be stuffed—black olives with almonds, green olives with anchovies, with pimiento or with my favourite: whole cloves of garlic—not to be missed!

The names of olives can be based on either the cure, the marinade after the cure or the type of olive or its place of origin, so choosing an olive by its name has no rationale; just remember an olive you particularly liked, and purchase it again next time.

There are so many varieties of olive that I could not recount them all. Instead, I have streamlined down to a useful few, as follows. The only definite advice I can give is this: do not buy olives that have been stoned (unless they are already stuffed); there is an indefinable flavour sensation that remains on the stone, as well as the pleasure of chewing on or sucking the stone after the flesh of the olive has been consumed.

Amphissa: Firm outside, tender inside, plump and reminiscent of both grapes and sea.
Arbiquena: Smallish, green-brown, often with leaves still attached, and fresh-tasting rather than aged and ripened.
Black Cerignola: Shiny and inky black, this has the texture of a ripe California or a canned Spanish olive, with a brinier, more olive-like taste.
Elitses: Tiny, Greek, table olives with a tangy astringency. They are brined, and range in colour from olive-green–brown to black, often in the same batch of olives. Similar to niçoise and Ligurian olives.
Greek Style: Big, fat, purplish-black, juicy olives, with lots of flesh and flavour. Sold brined.
Green and cracked: Slightly bitter, cracked and brined, sometimes marinated with coriander seeds, lemon, cumin or other flavourings. Naphlion is one of the most famous of this type.
Ionian: Plump and fleshy, these green olives are from Southern Greece, and are best in salads and used as appetizers.
Kalamata: Oval and fleshy, with a slightly pointed end, the Kalamata is perhaps the world's best-known olive, and justifiably so. Its flavour and texture are superb, and it is delicious in nearly any place where a strongly flavoured, tangy, black olive is required.
Manzanilla: The typically Spanish olive, which is plump and juicy, green in colour, available both pressed and cured; originally exported to the New World from Spain.
Moulin de Daudet: The black Moulin de Daudet olives are oil-cured in the provençal village of Fonvielle. They have a rich, deep flavour with a hint of anise. The green olives have a rich, buttery texture, with hints of herbs, pine and citrus.
Niçoise: Tiny, herby, grey-green–to–black olives with a great flavour that conjures up the taste of Nice in every bite. Their more formal name is Cailletier.
Nyons: Large, delicious, black olives, famous throughout France. Their pleasantly bitter edge makes an olive that is good, whether brine- or salt-cured.
Oil or Salt Cured: Wrinkled black olives with a fruity flavour and a dry-ish, chewy texture, these range from having a slightly truffle-like scent to a distinctly bitter one. Some are leathery and tough, which can be unpleasant when eaten as is, but this leatheriness is a boon when they are simmered into stews and sauces, as the flesh grows more tender and the bitterness adds a note of depth. Gaeta olives are one of the most-often encountered, cured type.
Picholine: The main green French olive, small, long and yellow-to-green in colour, often only lightly cured, which gives it a fresh, lively flavour.
Queen or Gordal: Huge, green olives, fleshy, and nearly the size of small hens' eggs.
Royal olives: Huge, fleshy olives, greenish-purple, with a robust flavour.

above ***Greek-style olives.***

above ***Kalamata olives.***

A Note About the Following Recipes

I intended to offer classic, olive-oil–scented or flavoured dishes, dishes from around the world, with a traditional taste, and a few aspects of innovation, also a handful of recipes featuring cured olives.
In the end, I chose dishes that were either enhanced by the olive oil, or dishes that best brought out the flavour of the olive oil, showing both the ingredients and the olive oils to their best advantage. And while many dishes are at their olive-soaked best when lavished with the fragrant, sweet oil, some are more subtly olive-scented, with only a glistening of the oil.
There are nearly endless ways to enjoy the olive and its oil. I offer you a few of my favourites. Enjoy!

appetizers and snacks

Olives are synonymous with the idea of an appetizer before a meal, a few deliciously saline nuggets to munch as you sit in a café watching life unfold on the Cours Selaya, or in the village as you gaze out from your terrace, or, in your kitchen, after a hard day's work. In fact, they are excellent anytime and anywhere.

Dishes made with olive oil are light and savoury, too—like peppers roasted and bathed in the pungent oil; fresh, sweet, raw fennel, drizzled with the lyrical oil; a few grilled fish, brushed with olive oil before they hit the fire. And you should always serve a few chunks of bread to dip into the spicy, flavourful oil that has mingled with the juices of whatever it is cooked with.

Soups, made from vegetables and herbs, are light and vivacious when made with olive oil. This is especially true in the Mediterranean, where such traditional dishes as fish soups, vegetable soups with pistou or pesto and salad-like, raw-vegetable soups known as 'gazpachos' nourish and refresh.

The Simplest Bowl of Olives

Choose a selection of olives in a wide variety; then drain and combine them in a bowl to serve. The delight of big, plump, purple olives next to tiny, cracked, green ones, wrinkled black olives and round, taupe-coloured olives is endless. A few olive leaves add to the visual excitement—if you don't have any, add a few sprigs of fresh rosemary, or a fresh bay leaf or two.

Preparation: 10–15 minutes

Olive e Formaggio

a plate of olives, rosemary, diced cheese and olive oil

This utterly simple dish is at its best when it has had a chance to macerate (soften by steeping in liquids) a bit. Serve with chunks of bread for dipping, on a hot day, alongside a tomato salad, and perhaps sprinkle a few drops of balsamic or sherry-wine vinegar over the olives.

SERVES 4

- 225 g/8 oz black olives, such as Italian oil- or salt-cured, or big, fat, salty Greek olives or the little Cretan olives
- 50 ml/2–3 fl oz extra virgin olive oil
- 1 tsp chopped, fresh rosemary
- 50 g/2 oz feta, mozzarella, or other white cheese, cut into cubes

Preparation: 5 minutes

Marinating time: 1 hour

Combine the olives with the oil, rosemary and cheese. Leave to marinate for at least an hour.

Pinzimonio

vegetable and olive oil feast

The fresh vegetables are enhanced by the star of the dish, the fruity, flavourful olive oil. Each person places a little olive oil in a saucer, seasons it with a few sprinklings of salt, pepper and a squeeze of lemon or drop of balsamic vinegar if desired, then dips the fresh vegetables into this simple little sauce.

SERVES 4

- 1 red pepper, cut into strips
- 1 bulb sweet fennel, cut into strips and tossed lightly with lemon juice to keep it from discolouring
- 1 head of chicory, cut into spears
- 2–3 artichoke hearts; raw if young and tender, blanched if they have grown a choke; toss in lemon juice to keep them from discolouring
- ½ cucumber, sliced
- ½–1 head raddichio, cored and leaves separated
- 4 sticks of celery, cut into large pieces
- Handful of rocket leaves
- Handful of pea greens
- Sweet young carrots, blanched or briefly steamed
- 4 ripe tomatoes, cut into wedges
- Cruet of good fruity olive oil: allow 1–2 Tbsp per person
- 3–4 Tbsp balsamic vinegar per person
- 3–4 Tbsp flaked or coarse grain sea salt per person
- 1–2 Tbsp coarsely ground black pepper per person
- 1 lemon, cut into wedges

Preparation: 15–30 minutes

❶ Arrange the vegetables on a platter or in a basket. Diners at the table might want to chop their vegetables into smaller pieces, so be sure to provide sharp knives for such a desire.

❷ Arrange the cruet of olive oil on the table. For each person arrange a sauce of balsamic vinegar, a little plate of coarse salt, black pepper and lemon wedges. Serve each person a saucer with which to mix their sauce and vegetables.

Salsa d'Olive

relish of black olives and fennel

While I like oil-cured olives in this relish, any good, strong, black olive is delicious, though try to choose one that is not too tangy or vinegary. Serve this as an antipasto with crusty bread, or with fire-grilled tuna.

SERVES 4

- 1 fennel bulb, diced
- Juice of ½ lemon
- 10–15 oil-cured black olives, stoned and cut into quarters or halves
- 2–3 Tbsp extra virgin olive oil

Preparation: 10 minutes

Combine all of the ingredients and enjoy.

Carciofi alla Romana

artichokes braised with herbs and olive oil

Artichokes, stuffed with mint, parsley and garlic, then braised with olive oil and lemon, is one of the delights of the Roman kitchen.

SERVES 4–6
- 10 g/¼ oz parsley, finely chopped
- 2–3 Tbsp finely chopped, fresh, mint leaves, or more as desired
- 8–10 cloves garlic, finely chopped
- Salt and pepper to taste
- 125 ml/4 fl oz extra virgin olive oil
- 8 medium-sized artichokes
- Juice of 1 lemon

Preparation: 30–40 minutes

Cooking time: 1 hour, 15 minutes

❶ Combine the parsley with the mint, garlic, salt and pepper, and about three tablespoons of the olive oil, or enough to form a paste. Leave to marinate while you prepare the artichokes.

❷ Remove the hard leaves from the artichokes, and cut away the sharp top from the tender, inner leaves. Pull the centre open, and scoop out the thistly inside, using a spoon and a sharp paring knife.

❸ Stuff the inside of each artichoke with the herby mixture, then lay the artichokes in a baking dish in a single layer. Sprinkle with salt, pepper and any leftover herby mixture, then with the remaining olive oil and lemon juice, adding enough water to cover the artichokes. Cover with a lid or with foil.

❹ Bake in a preheated (180°C/350°F/Gas Mark 4) oven for about an hour. Remove the lid to taste the sauce; if it lacks flavour, pour it into a saucepan and reduce until it condenses and intensifies—you want the liquid to be evaporated to isolate the flavourful oil. Once that has happened, stop boiling immediately. Season with salt, pepper and lemon juice, then pour it back over the artichokes. Eat hot or cold.

Balkan Grated Turnip

with olive oil and walnuts

We sampled this a few years ago on a visit to a wedding in Bulgaria. Although olive oil is not a particularly Bulgarian flavour, guests from Macedonia brought a bottle, and drizzled it onto this turnip salad.

SERVES 4
- 2–3 young, medium-sized turnips, peeled
- 1 Tbsp extra virgin olive oil, or as desired
- Juice of ½ or more lemon, to taste
- Sea salt to taste
- 2–3 Tbsp walnut pieces
- ½ tsp chopped parsley or a sprig of parsley to garnish

Preparation: 10–15 minutes

Coarsely grate the turnip, then toss it with the olive oil, lemon and salt. Mound it onto a plate, then garnish with walnuts. Serve sprinkled with parsley or garnished with a parsley sprig.

▲ *Selection of antipasto*

Ardei cu Untdelemn

roasted peppers in oil

Roasted peppers in olive oil are a quintessential Mediterranean fare, eaten in a wide variety of guises throughout the Mediterranean and Middle East, but they are also the national dish of Romania, eaten with slabs of white brynza cheese (similar to feta) or with garlicky, grilled meatballs.

SERVES 4

- 3 each: red, yellow and green peppers (or 8–9 of any one kind)
- 1 Tbsp salt
- 125 ml/4 fl oz wine vinegar
- 125 ml/4 fl oz water
- 125 ml/4 fl oz extra virgin olive oil
- 5 garlic cloves, chopped
- 2 tsp paprika
- ½ tsp sugar, or to taste

TO SERVE

- A sprig of thyme
- 50–75 g/2–3 oz diced brynza or feta cheese
- A handful of black olives

Preparation: 20 minutes

Marinating time: at least 2 hours

Cooking time: 15 minutes

❶ Roast the peppers by placing them directly on the top of the stove and letting them cook just slightly away from the heat, until they are lightly and evenly charred. Alternatively you may place them on a baking sheet instead, and grill them for about 15 minutes on each side, turning so that they brown in spots in an even manner.

❷ Wrap them in a clean teatowel or place them either in a bowl or pan with a tight-fitting lid, or in a plastic or paper bag, and seal tightly. Leave to cool, about an hour.

❸ Remove the skin, using a paring knife. Run them under cold water carefully to get rid of excess bits of charred black skin, but not for long, as they may lose their smoky flavour too. When peppers are peeled, use a paring knife to cut off the stem end, and remove both it and the seeds. Save any juices inside.

❹ Cut the peppers into halves lengthways, and combine them with their roasting juices, the salt, vinegar, water, olive oil, garlic, paprika and sugar, as desired. Leave to chill for at least 2 hours, or overnight if possible.

Taramasalata

Tarama is the salted, dried, lightly smoked roe of the grey mullet or cod, usually sold as a paste in jars. In Corfu, however, they prefer the smoked roe of herring that can be bought whole and mashed into a paste.

This dense, pinky-orange, pressed-egg mixture is whipped into taramasalata, a pink froth with added bread and/or potato for thickening, olive oil for enriching and onion for aroma. At its best, it is smooth and creamy, tasting at once of olive oil and the sea, yet is also light and vivacious.

SERVES 4–6

- 3 slices of country bread
- 115 g/4 oz tarama (usually sold in a jar)
- 1 freshly boiled, tender, peeled potato, lightly mashed
- 1–2 cloves garlic, crushed
- 1 small or ½ medium onion, chopped
- Juice of 2 lemons
- 250 ml/8 fl oz extra virgin olive oil, Greek if possible
- 2–3 spring onions, thinly sliced
- Several sprigs of fresh dill, chopped
- Black Greek olives, to garnish

Preparation: 30 minutes

Chilling time: at least 1 hour

❶ Soak the bread in cold water for a minute or two, then squeeze it dry.

❷ Place the tarama, soaked bread, potato, garlic, onion and lemon juice in a blender, and beat until it forms a thick paste. Blend until smooth or slightly textured, as preferred.

❸ Slowly add the olive oil, a few tablespoons at a time, blending in between, until a thick, aromatic tarama-mayonnaise is formed. Taste and check for texture: if it is too strong, heavy or dense in texture, blend in a few tablespoons of water, letting it amalgamate into the mixture. Remove from the blender jar and stir in the spring onions and dill. Spoon into a bowl and chill, then serve, garnished with black olives. It is delicious with fresh bread.

Pomodori Arrosti

roasted tomatoes with olive oil, garlic and basil

Delicious served with crusty bread to soak up the juices and tomato. Capers, olives, or anchovies can be scattered on top, for a salty Mediterranean flavour.

SERVES 4
- 12 small to medium-sized ripe flavourful tomatoes
- 4–5 Tbsp extra virgin olive oil
- ½–1 tsp balsamic vinegar, or to taste
- Coarse sea salt to taste
- 3–5 garlic cloves, finely chopped
- Handful of fresh basil, coarsely torn

Preparation: 5–10 minutes

Cooking time: 1–1½ hours

❶ Arrange the tomatoes in a casserole, about 2.5 centimetres/1 inch or so apart, and drizzle with about 1–2 teaspoons of the olive oil.

❷ Preheat the oven to 220°C/425°F/Gas Mark 7 and place the tomatoes inside to roast for 20 minutes. Reduce the heat to 160°C/325°F/Gas Mark 3 and continue to cook for a further 30 minutes. Remove from the oven and leave to cool, preferably overnight when their juices will thicken.

❸ Remove the skins of the tomatoes and squeeze them of their juices, letting the juices run back onto the tomatoes.

❹ Serve drizzled with olive oil, balsamic vinegar, and sprinkled with salt, garlic and basil.

Brandade aux Lentilles

thick spread of potatoes and puréed lentils

Brandade *is a thick paste of potatoes and usually cooked salt cod. Instead of salt cod, vegetables are sometimes used.*

SERVES 4
- 4 medium-sized potatoes, peeled and cut into quarters or chunks
- 225 g/8 oz cooked green lentils
- ½ tsp Herbes de Provence to taste
- 4–5 garlic cloves, crushed
- Sea salt
- 125 ml/4 fl oz extra virgin olive oil
- Juice of ½ lemon or to taste
- Freshly ground black pepper to taste
- 8–10 Mediterranean black olives
- Handful of rocket or other greens
- Sprinkle of paprika

Preparation: 15 minutes

Cooking time: 15–20 minutes

❶ Boil the potatoes until they are very tender, about 15 minutes, then drain and mash. Meanwhile, grind or purée the lentils and mix with the potatoes. Add the Herbes de Provence to taste.

❷ Crush the garlic with the salt until it forms a paste, then stir it into the vegetables and begin to work in the olive oil, a tablespoon or two at a time, until all of the olive oil is absorbed. If the olive oil begins to be not easily absorbed, don't add any more.

❸ Season with lemon juice, salt and pepper to taste, and mound it onto a plate. Garnish with olives and rocket leaves, and sprinkle with paprika for colour.

Middle-Eastern Breakfast

feta-yoghurt spread, olive oil and dukkah

Bread and olive oil, with a tangy mound of feta-yoghurt spread, and a sprinkling of the Middle-Eastern spice-and-nut mixture, called dukkah, *is the classic breakfast throughout the Middle East, and also makes a great mid-afternoon snack, or a good appetizer to prepare with any Middle-Eastern oils if you have access to them, such as Lebanese or Israeli, though it is delicious made with any good, extra virgin olive oil.*

Serves 4

- 3 cloves garlic, chopped
- 115–175 g/4–6 oz feta cheese, crumbled
- 3–4 tablespoons yoghurt
- Extra virgin olive oil, as needed
- ½–1 tsp each: ground coriander, cumin and thyme
- 1–2 tsp sumac
- 2–3 Tbsp each: coarsely ground, toasted sesame seeds and hazelnuts

TO GARNISH:

- 10–15 Mediterranean black olives, or as many as you like
- 3–5 spring onions
- 4–8 warm pitta-bread pockets or 2–4 warm naan breads, torn into pieces and wrapped in a cloth

Preparation: 30 minutes

❶ Combine the chopped garlic with the crumbled feta, yoghurt and a tablespoon or two of olive oil. Mound onto a plate.

❷ Combine the coriander, cumin, thyme, sumac, sesame seeds and nuts to make the *dukkah*.

❸ Pour a few tablespoons of olive oil onto a saucer, and sprinkle with the *dukkah* mixture. Garnish with the olives and spring onions.

❹ Serve the plate of cheese mixture and the olive oil–spice platter with the pitta or naan. Let each person dip into the various mixtures as desired, mixing and combining to taste.

Ntakos

Cretan 'Pan Bagna'

This utterly refreshing salad-sandwich, pronounced "Dakos", is courtesy of my friend Panos Manuelides of OdySea imports. This dish hails from the island of Crete, and is healthy, delicious and rich in vitamins and fibre. It also wonderfully shows off the fresh flavours of the vegetables and the olive oil.

It can be made ahead of time, indeed it must be; fewer things can revive a person on a hot, sultry day as this. It is also perfect for picnics, as I have often seen families sitting in the fields on an afternoon, sharing this dish.

SERVES 4

- 4 *paximadia* or other wholemeal crackers
- 12 or more ripe, sweet, juicy tomatoes
- Sprinkle of oregano
- Approximately 3 dozen black Greek or other Mediterranean olives, stoned and cut into pieces
- 175–225 g/6–8 oz or so *kefalotiri* or pecorino cheese, thinly sliced or shaved
- 75–125 ml/3–4 fl oz olive oil (preferably Greek), or as needed

Preparation: 10–15 minutes

Marinating time: at least 4 hours

❶ Arrange the *paximadia* on a platter or on plates. Layer with the tomatoes, oregano, olives and cheese, and drizzle with olive oil.

❷ Leave to marinate for at least four hours at room temperature, then serve.

Carotte Italiane

marinated carrots, Italian style

Carrots, cooked only until just tender and bright-orange in colour, have a sweet flavour that is quite enhanced by a good splash of olive oil and vinegar. With a scattering of garlic and parsley, they make a terrific antipasto.

The following recipe was given to me by an elderly Italian farmer and his even-more elderly mother, who loved the dish.

SERVES 4

- 8–10 medium-sized carrots
- 3–5 cloves garlic, chopped
- 3 Tbsp extra virgin olive oil, or more to taste
- 2 Tbsp raspberry vinegar (or a mild wine vinegar), or more to taste
- 3–5 Tbsp chopped parsley
- Salt and pepper to taste

Preparation: 15 minutes

Cooking time: 15 minutes

Cut the carrots into about 5-mm/¼-inch-thick slices. Steam or boil them until they are tender, about 15 minutes. Drain well, then toss with the remaining ingredients. If the carrots are not very sweet, add a tiny pinch of sugar to the cooking water.

▲ *Ntakos*

Bruschetta al Pomodoro

ripe tomato and basil bruschetta

One summer, we rented a little house outside of Florence, and noticed that bruschetta al pomodoro *was on the menu everywhere. This recipe was brought to me from Tuscany, where it is also known as* fettunta, *by the Mediterranean-based writer Paul Richardson.*

SERVES 4

- 4 thick slices of Italian country bread (or French bread, if not available)
- 125 ml/4 fl oz olive oil, preferably Tuscan (or more, as needed)
- 6 very ripe, flavourful tomatoes, diced
- Handful of fresh, sweet basil leaves, torn
- 4 garlic cloves, chopped
- Coarse sea salt, to taste

Preparation: 10–15 minutes

Cooking time: 10–15 minutes

❶ Brush the bread with several tablespoons of the olive oil, then toast it on a baking sheet at 220°C/425°F/Gas Mark 7 for about 15 minutes, turning once or twice or until crisp and golden brown.

❷ Combine the tomatoes with the rest of the olive oil, basil and garlic, sprinkle with coarse sea salt, and serve.

Mediterranean Fried Squid

Serve crispy-fried squid with a plate of olives, wedges of lemon and perhaps slices of tomatoes topped with feta cubes for a Greek flavour.

SERVES 4–6

- 1.1 kg/2½ lbs squid—the smallest you can find
- 1 tsp sea salt
- 225 g/8 oz (approximately) plain flour
- 250 ml/8 fl oz beer, sparkling wine, or sparkling water
- 475 ml/16 fl oz pure olive oil
- 125 ml/4 fl oz extra virgin olive oil

TO SERVE:

- 2 lemons, cut into wedges

Preparation: 15 minutes

Cooking time: 15 minutes

❶ Clean the squid, or have them cleaned for you, then cut them into bite-sized pieces or thin rounds.

❷ Combine the salt with the flour, and place it on a plate, then pour the beer or other soaking liquid into a saucer. Heat the oils together until they are hot, but not smoking; then, working in several batches at a time, dip the squid first in the flour and salt, then quickly into the liquid, then into the hot oil.

❸ Fry over medium heat until they are crisp and lightly browned, five to eight minutes. Remove and place on absorbent kitchen paper to drain, then serve with lemon wedges.

Melanzanosalata

Greek fire-roasted aubergine

Roasting aubergines over the fire gives them a smoky scent and flavour. You don't need a grill, however, as you can cook them over your stove if you have a gas oven.

Similar dishes are prepared throughout the Mediterranean, from the tahini-enriched baba ghanoush of Lebanon, the creamed-mayonnaise hatzilim salata of Israel, or the tomato-rich French papeton. Olive oil is the secret to all of them, and especially this version: if you have no lemon or garlic, this is still a fine dish, as the flavour of smoky aubergine and olive oil is the essence of the Mediterranean.

SERVES 4

- 3 long, medium-sized aubergines, whole
- Sea salt to taste
- 125 ml/4 fl oz extra virgin olive oil, or as desired
- 1–2 garlic cloves, chopped fine
- Juice of about ½ lemon, or to taste

Preparation: 10–15 minutes

Cooking time: 15–20 minutes

❶ Place the aubergines directly over a flame, either on a barbecue or on the top of a gas stove; alternatively, on a grill. Cook slowly, turning and turning until the skin of the aubergines is black and charred, and the flesh is tender. This should take 15–20 minutes.

❷ Remove the aubergines from the heat, and place them in a bowl with a tight-fitting lid. Leave until they cool, for about two hours. Remove from the bowl, taking care to save the smoky liquid that has oozed out. Scoop the flesh from the charred skin, and discard the skin, adding the flesh to the aubergine's smoky juices.

❸ Coarsely chop about two-thirds of the aubergine mixture, and season it with salt. Blend the remaining third of the aubergine purée in the blender with the olive oil, then add it to the rest of the aubergine.

❹ Season with garlic, lemon juice and salt to taste. Chill until ready to serve.

Ceviche

Mexican marinated fish and prawns

SERVES 4

- 375 g/12 oz fish fillets, skinned, boned and cut into bite-sized chunks
- 225 g/8 oz uncooked prawns, shelled, cleaned and deveined
- Juice of 1 orange
- Juice of 5 limes
- 2 very ripe flavourful tomatoes, diced
- 6 spring onions or 1 red onion, sliced
- ¼ tsp each, or to taste: sea salt, freshly ground black pepper, oregano leaves
- Pinch of sugar, if needed, to balance the acidity of the ingredients and bring out the flavour of the tomatoes
- 1 fresh, green chilli, thinly sliced or chopped
- ⅛–¼ tsp of cumin seeds, or to taste
- 15 or so pimiento-stuffed green olives, sliced or halved
- 4–5 Tbsp coarsely chopped, fresh coriander
- 1–2 Tbsp extra virgin olive oil, or to taste

TO SERVE:

- 115 g/4 oz shredded lettuce
- Corn tortillas or tortilla chips

Preparation: 20 minutes

Marinating time: overnight

Throughout Latin America, fish are marinated in lime and coriander, seasoned with hot peppers and drizzled with olive oil. One of my favourite dishes is from Peru: the fish are not raw, but are tiny, sardine-like creatures fried in olive oil to a crisp, then marinated with lime, carrots and other vegetables.

You can either use only fish or prawns in the following recipe. The combination of olives and olive oil with the citrus-flavoured fish and prawns is particularly good. You can garnish it with avocado slices or add fire with more chillies, if you like—whichever way you choose, ceviche is a refreshing, invigorating way to begin a warm-weather feast.

❶ Combine the fish and prawns with the freshly squeezed orange and lime juice, and leave in a covered, nonreactive bowl (such as glass) to marinate overnight in the refrigerator. Turn the fish and prawns over once or twice.

❷ Add the diced tomatoes, spring onions, salt, pepper, oregano, sugar (if needed), green chilli, cumin seeds, green olives, coriander and olive oil. Chill until ready to serve. If it seems too wet, drain some of the liquid before serving. Taste for seasoning, and serve garnished with shredded lettuce, and accompanied by warm, soft, corn tortillas or crisp tortilla chips.

Salmorejo

tomato and green pepper gazpacho

SERVES 4
- 115 g/4 oz stale, country bread
- 175 ml/6 fl oz extra virgin olive oil, Andalusian, preferably
- 350 g/12 oz ripe tomatoes, diced
- 1 green pepper, diced
- 4 garlic cloves, finely chopped
- 2 Tbsp sherry vinegar
- Salt to taste

TO GARNISH:
- 1 hard-boiled egg, chopped
- 1 slice of country bread, cut into cubes and browned in olive oil
- 1–2 slices Serrano or Parma ham, cut into thin strips

Preparation: 15 minutes

Chilling time: 1 hour

❶ Cut or break the bread into bite-sized pieces, and place in the food processor or blender. Pour cold water to cover over it, leave for a moment or two, then drain.

❷ Add the olive oil, tomatoes, green pepper, garlic, sherry vinegar and salt, and blend until a thick purée forms. Season to taste, and chill until ready to serve with the optional garnishes.

This thick gazpacho gets its creaminess from puréed, stale bread and olive oil, blended with the vegetables. It is a specialty of Andalusia, traditionally made by pounding, though a blender works quite nicely. Salmorejo *may be served as a starter, or as a tapa in tiny cups for sipping.*

A crisp, crunchy garnish is a nice addition, since the soup is so thick and creamy—diced, hard-boiled egg, crisp little croutons and thin shreds of Spanish ham are traditionally used. I sometimes add a few shreds of fresh mint leaves.

Soupe de Légumes Vertes au Pistou

green "pistou" soup

The all-green colour is an unexpected delight. Add pasta if you like—to make a classic pistou add a handful of cooked vermicelli, broken and squiggling into the pot.

Serves 4

- 1 leek, chopped
- 2 onions, chopped
- 5 garlic cloves, coarsely chopped
- 3 Tbsp extra virgin olive oil
- 3 medium-sized ripe, yellow tomatoes, diced
- Salt and pepper to taste
- A pinch of sugar, to balance out the acidity of the tomatoes
- 1 l/1¾ pints vegetable stock
- 1 l/1¾ pints water
- 3 small courgettes, cut into bite-sized pieces
- 1 medium-sized, waxy potato, peeled and diced
- ¼ cabbage, thinly sliced
- 115 g/4 oz cooked cannellini
- 8 Swiss chard or spinach leaves, thinly sliced
- ¼–½ bunch broccoli, cut into florets
- Handful of green beans, cut into bite-sized pieces
- 1 batch of pistou (pg. 118)
- Extra grated Parmesan, to taste

Preparation: 15–20 minutes

Cooking time: 20–30 minutes

❶ Lightly sauté the leek, onion and garlic in the olive oil until they are soft, then add the tomatoes and cook over a medium heat for about 10 minutes. Add the vegetable broth and water, the courgettes, potato and cabbage, and continue to cook over a medium heat until the potatoes are just tender and the courgettes are quite soft. The cabbage will be soft by now, too.

❷ Add the white beans, Swiss chard or spinach leaves, broccoli and green beans, and cook for about another five minutes, or until the broccoli and green beans are cooked through.

❸ Serve immediately in bowls with a tablespoon or two of pistou stirred in, accompanied by the grated Parmesan, to taste. Do not heat the pistou, or its fragrance will dissipate.

▲ *Soupe de Légumes Vertes au Pistou*

Soupe de Poisson

fish soup

Classic fare from the South of France, this is only one of the many soups prepared. From Italy to Greece, Spain, France, North Africa, Turkey and further points around the Mediterranean, fish stews and soups are prepared by sautéeing onions and garlic in olive oil, then adding a bit of tomato and whatever fish are available. It is the flavour of the olive oil simmering with the fish that so captures the essential Mediterranean flavour.

SERVES 6

- 1 onion, chopped
- 1 leek, chopped
- 5 cloves garlic, crushed with a pinch or two of salt
- 125 ml/4 fl oz extra virgin olive oil, or as needed
- 1 kg/2¼ lbs mixed fish/fish trimmings, cut into small pieces
- 450 g/1 lb ripe tomatoes, chopped
- 2 bay leaves
- Pinch each of thyme, fennel seeds and chopped rosemary
- ⅛ tsp grated orange rind
- 1 tsp chopped parsley
- 250 ml/8 fl oz dry white wine
- Enough water to cover the fish
- 250 ml/8 fl oz prepared fish, vegetable or chicken stock
- ½ tsp saffron
- Sea salt to taste
- Several pinches of cayenne pepper
- 4 slices of stale bread, cut into slices and lightly toasted, or baked in the oven until crisp
- 1 clove garlic, cut into halves
- Freshly grated cheese (I recommend a combination of Gruyère and Parmesan)
- *Rouille* (pg. 120)

Preparation: 20–25 minutes

Cooking time: 1–1½ hours

❶ Lightly sauté the chopped onion and leek, and crushed garlic in a few tablespoons of the olive oil, then add the fish, and lightly sauté together, adding more olive oil if needed.

❷ Add the chopped tomatoes, bay leaves, thyme, fennel, rosemary, grated orange rind, parsley, wine, water and stock, and bring to the boil. Lower the heat, then simmer until the fish are soft, about 40 minutes.

❸ Add the saffron, salt and cayenne pepper, then bring the soup to the boil once again, and cook on high heat for about 20 minutes, so that all of the fish nutrients permeate the soup.

❹ Meanwhile, rub the garlic onto both sides of the bread, and drizzle with olive oil.

❺ Strain the soup, pressing hard to extract all of the flavour. Pour the soup into the pan and reheat. Spread the bread with *rouille*, sprinkle with cheese and serve, floating the *rouille*-topped toasts on top of the soup.

A raw vegetable is a raw vegetable, but a raw vegetable with a splash of olive oil is a salad. Most salads are at their crispest, most-flavourful best when dressed with olive oil. Even many nut oils, such as walnut or hazelnut, are delicious when combined with olive oil.

Balsamic vinegar, red-wine vinegar, lemon juice, even a dash of soured cream are all lovely, tart additions to your salad, and crusty bread for sopping up the dressing is a must.

Salade aux Epinards et Chèvre

shredded spinach with goat's cheese and spring onions

Such a simple salad that it makes you want to smile from the sheer pleasure of its freshness and taste. I sometimes add a few leaves of mint, shredded, to the spinach and spring onions.

SERVES 4

- I bunch of young spinach leaves
- 2 spring onions, thinly sliced
- I slice goat's cheese (the kind with the rind), cut into slices or bite-sized pieces
- I–2 garlic cloves, finely chopped
- 2–3 Tbsp extra virgin olive oil (provençal variety is recommended)
- ½ tsp balsamic vinegar, or to taste
- Salt and pepper, as desired

Preparation: 10 minutes

❶ Roll the spinach leaves carefully, then slice them very thinly with a sharp knife, cutting them nearly into shreds. The thinner they are, the lighter and fluffier they will be on the plate. Toss the spinach with the spring onions, and arrange on a plate.

❷ Top the spinach mixture with the goat's cheese, and sprinkle with the garlic, then drizzle olive oil and balsamic vinegar over the top, seasoning with salt and pepper as desired.

Perdices de mi Huerto

"partridges from my garden"

Wedges of little gem or miniature lettuces, chilled and arranged in a spoke-like circle, sprinkled with olive oil, lemon juice and grains of coarse salt, is a Murcian speciality from Spain's southeastern coast. Though untraditional, balsamic vinegar is delicious used instead of the lemon.

The dish, made for me by British–Spanish writer Paul Richardson, is particularly good when served with a hefty main course such as pasta, on a hot and sultry day. I recently prepared this using the Cretan Messara olive oil, and it was superb: the oil imparted an earthy-but-clean olive flavour, and managed not to overwhelm the subtle flavour of the little lettuces.

SERVES 4

- 4 little gem lettuces, cut into wedges lengthways, and chilled
- Juice of I–2 lemons, as desired
- 3 Tbsp extra virgin olive oil
- Sprinkling of coarse salt

Preparation: 5 minutes

Arrange the lettuces on a serving plate in spoke-like manner, then sprinkle with lemon, olive oil and coarse salt. This dish is best served and eaten immediately.

▲ *Salade aux Epinards et Chèvre*

Andalusian Chopped-Vegetable

salad with cumin vinaigrette

When the weather is hot, I make up vats of this stuff and eat it chilled for any and every meal—even breakfast, when it is exquisitely refreshing. It makes a very nice relish for a bocadillo, *a crusty Spanish sandwich or for grilled fish.*

Serves 4

- 1 large cucumber, diced
- 3–5 small, ripe tomatoes, diced
- 1 carrot, diced
- 1 red pepper, diced
- 1 green pepper, diced (add a yellow or orange pepper here, too, if desired)
- 3–5 spring onions, thinly sliced, or 1 small, chopped onion
- 3–5 garlic cloves, crushed
- ¼ tsp ground cumin or cumin seeds
- Salt to taste
- Juice of 1 lemon
- 1 tsp sherry vinegar or white-wine vinegar
- 3 Tbsp extra virgin olive oil or to taste (use one with big flavour and aroma)

Preparation: 15 minutes

Combine the cucumber, tomatoes, carrot, red and green peppers, spring onions and garlic. Toss with cumin, salt, lemon, sherry or white-wine vinegar, olive oil and herbs. Taste for seasoning, and chill until ready to eat.

Egyptian-inspired Brown-Bean

and raw vegetable salad

When we docked at dawn in Port Said, Egypt's tiny boats of friendly fishermen ushered us through the harbour. I had only one thing on my mind: 'ful' beans, dried broad beans, the meaty, brown bean that is Egypt's national dish, served drizzled with olive oil and a salad garnish. In the following recipe, it is used as a salad; I like to accompany it with big, round, Egyptian flatbreads, but ordinary pitta can be substituted.

Serves 4

- 200 g/7 oz cooked borlotti beans
- 2–3 hard-boiled eggs, preferably still warm, peeled and diced
- Extra virgin olive oil, as desired, preferably a North African, Greek or Turkish oil
- 3–4 garlic cloves, crushed
- A large pinch of salt
- 1 onion, chopped
- Handful of rocket, coarsely chopped
- 2–3 ripe tomatoes, chopped
- 1 Tbsp each: coriander, dill, mint
- 2 lemons, cut into wedges

Preparation: 10 minutes

Cooking time: 5 minutes

❶ Warm the beans in their juices, then drain and arrange on a platter. Garnish with the eggs.

❷ Work several tablespoons of the olive oil into the garlic, then pour this over the beans. Sprinkle the onion, rocket, tomatoes, coriander, dill and mint around the top and garnish with lemon. Drizzle extra olive oil over the top and serve with a cruet of olive oil and a bowl of coarse sea salt for sprinkling.

▲ *Andalusian Chopped-Vegetable Salad with Cumin Vinaigrette*

Horiatiki Salata

Cypriot village salad

Unlike the village salads I've eaten in Greece, a Cypriot salad contains many more greens—caper stems (be careful, though—these can have thorns); wild seaweed, lightly pickled; rocca (rocket); shredded cabbage (white, green or red); purslane; coriander; and pea greens. You never know what greens will appear in your evening salad, as the Cypriots are avid, daily hunters of wild herbs and salad leaves, and all of these go into the foods. The only constant is the glistening, rich, olive oil and the lemon halves plunked onto the table, to squeeze on as you like.

SERVES 4 AS A MAIN COURSE
OR 4–6 AS A STARTER/MEZE

- ½–1 small white cabbage, shredded
- Handful of rocket leaves, chopped
- 3–4 Tbsp chopped, fresh coriander
- 1–2 Tbsp chopped, fresh parsley
- Wild greens as desired (see above)
- 1 cucumber, diced
- 1 bunch spring onions, thinly sliced
- Mint leaves, thinly sliced (optional)
- Extra virgin olive oil, as desired
- Juice of 1 lemon, plus extra lemon halves, to serve
- Salt and pepper to taste
- 5–6 ripe, juicy tomatoes, quartered
- 10 or more black olives
- 10 or more slightly bitter, green olives
- 115 g/4 oz feta cheese, cut into slices

Preparation: 10–15 minutes

❶ Combine the cabbage, rocket, coriander, parsley, wild greens (if using), cucumber, spring onions and mint. Toss with olive oil, lemon, salt and pepper, then arrange in a bowl.

❷ Top with tomato wedges, olives and feta, and serve with more olive oil and lemon.

Salade du Berger

shepherd's salad

The bread, cheese and olive oil in the dressing give this salad the rustic character of southern France.

Serves 4
- 12 thin slices of stale baguette (French bread)
- 2 small, round sheep's cheeses or 4 St. Marcellin cheeses
- Mesclun salad greens (a continental mix, with rocket, lamb's lettuce, frisée, etc; use other fresh salad greens, if unavailable)
- 3 Tbsp extra virgin olive oil, preferably French or Ligurian
- 1 Tbsp red-wine vinegar
- 2 slices prosciutto or Parma ham, very thinly sliced into strips
- 1 tsp chopped chervil
- 1 tsp chives
- 1 tsp parsley or fresh tarragon

Preparation: 10–15 minutes

Cooking time: 15–20 minutes

❶ Preheat the oven to 190°C/375°F/Gas Mark 5. Toast the slices of bread in the oven until lightly golden and crisp on each side, for about 10 minutes or so.

❷ If using the small, round sheep's cheeses, cut them into chunks and place a chunk on each piece of toasted baguette. Place on a baking sheet. If using St. Marcellin cheeses, place them directly on the baking sheet, not on the bread. Bake for 5–8 minutes, or until the cheese warms and just begins to melt.

❸ Meanwhile, toss the mesclun salad greens with the extra virgin olive oil and red-wine vinegar. If the toasted baguette slices are not topped with cheese, arrange the baguette slices around the edge of the salad.

❹ When the cheese is hot, remove from the oven and place on the salad. Sprinkle with the thinly sliced prosciutto or Parma ham and the chopped chervil, chives, parsley and/or tarragon, and serve immediately.

Causa a la Lemono

lemon and olive mashed-potato salad, spiked with hot peppers and two colours of olives

Causa *is a Peruvian dish of cold, mashed potatoes, rich with olive oil, lemon and hot peppers. I like to stud the entire dish with lots of chopped green olives in addition to the traditional, black-olive garnish.*

Causa should be seasoned wildly, with enough lemon juice to pucker your mouth and enough chillies to wake up your entire digestive system. The olive oil should be lavished on the potatoes, and each bite should voluptuously ooze of it, along with the briny bits of olives and sharp jolts of hot chilli.

SERVES 4

- 1 kg/2¼ lbs baking potatoes, peeled and cut into large chunks
- 1 onion, finely chopped
- 3 garlic cloves, chopped
- 50 ml/2 fl oz extra virgin olive oil
- Juice of 2–3 lemons
- Approximately 1 Tbsp pickled chillies, such as *jalapeños en escabeche*, or Turkish, Italian or Greek pickled peppers; alternatively, use a pickled-pepper relish
- 15 pimiento-stuffed green olives, coarsely chopped
- 1 dried, hot, red chilli pepper, crumbled into small pieces, or several pinches of hot, red-pepper flakes
- Sea salt to taste

TO GARNISH:

- 1 lemon, cut into wedges
- Handful of black olives, such as Kalamata
- 115–175 g/4–6 oz white cheese, cut into triangle-shaped pieces
- Handful of salad greens or mixed lettuces, to garnish

Preparation: 20 minutes

Cooking time: 20–25 minutes

❶ Cook the potatoes in boiling water until they are tender. Drain and mash them coarsely.

❷ Mix in the chopped onions, garlic, extra virgin olive oil, fresh lemon juice and pickled chillies or peppers, plus a teaspoon or two of the marinade from the jar, the chopped green olives and the crumbled, dry, red pepper. Season with salt to taste. If the mixture is too dry, add more olive oil and lemon juice.

❸ Chill until ready to serve, then garnish with the freshly cut lemon wedges, black olives, cheese and salad leaves.

Spanish Salad of Frisée

cabrales, peppers and olives

This salad is simple to prepare, and deeply refreshing when the weather is hot: frisée, with its refreshing, slightly-bitter flavour; the peppers with their distinctive Mediterranean flavour; and the olives and blue cheese, with their pungent, salty bite.

Serves 4

- 1 small head of frisée, cleaned and cored, cut into bite-sized pieces (use another bitter lettuce variety if unavailable)
- 2 roasted, red peppers, peeled and cut into strips
- 75 g/3 oz ripe Spanish cabrales, a blue cheese (use other blue cheese type if unavailable)
- 10–15 pimiento-stuffed green olives
- 3 Tbsp extra virgin olive oil
- 1 Tbsp sherry vinegar
- Tomato Vinaigrette (pg. 122) to serve (optional)

Preparation: 15 minutes

Arrange the frisée and garnish with the roasted peppers, blue cheese and green olives. Dress with olive oil, sherry vinegar and if you have ready-prepared it, a spoonful or two of tomato vinaigrette. Serve immediately.

Fattoush

Lebanese tomato, mint, parsley, cucumber and pitta bread salad

This salad of stale bread and salad vegetables from Lebanon, characteristically dressed with lots of olive oil and lemon, is very refreshing. A sprinkle of sumac—a tart, red berry related to poison sumac, but not harmful—gives a distinctive tang. I like to serve it with a helping of yoghurt, or yoghurt mixed with feta cheese.

SERVES 4

- 1 large or 2 small cucumbers, diced
- 3 ripe tomatoes, diced
- 1 green pepper, diced
- 25 g/1 oz (about 8 Tbsp) each: fresh mint, fresh, chopped coriander, fresh, chopped parsley
- 3 spring onions, thinly sliced
- 1 tsp salt
- 3 garlic cloves, chopped
- 75 ml/3 fl oz extra virgin olive oil
- Juice of 3 lemons
- 1 tsp sumac
- 3–4 pitta breads, stale and lightly toasted, then broken into pieces

Preparation: 15–20 minutes

Chilling time: 1 hour

Combine the cucumbers, tomatoes, pepper, mint, coriander, parsley, spring onions, salt, garlic, olive oil, lemon juice and sumac. Chill for at least one hour. Just before serving, toss with the broken pitta breads.

Greek Black-eyed-Bean Salad

with caper dressing

During lunch in a monastery high in the hillside of Mount Hymettus, for the blessing of the olive oil, we were served a vegetarian lunch, which included this delicious salad, accompanied by sweet, ripe, seasonal tomatoes and chunks of crusty bread.

SERVES 4, AS A MEZE OR SIDE DISH

- 350 g/12 oz raw, black-eyed beans
- 2–3 Tbsp red-wine vinegar, or to taste
- Pinch of sugar
- 2–3 Tbsp capers
- 75 ml/3 fl oz extra virgin olive oil, preferably a Greek or Cypriot oil, or to taste
- 3–5 garlic cloves, chopped
- Large pinch of oregano leaves, crushed between the fingers
- 2–3 Tbsp fresh, chopped parsley, preferably the flat-leaf variety
- ¼ onion, red or white, chopped
- Salt and pepper to taste
- Mixed bed of salad greens (young cabbage, rocket, etc.)

Preparation: 15 minutes

Cooking time: 40–60 minutes

❶ Place the black-eyed beans in a saucepan and cover with cold water. Bring to the boil, then reduce the heat and simmer over a low heat until the beans are tender, for approximately 40 minutes. Pre-soaking for at least an hour, or even better overnight, will reduce the cooking time, resulting in more-tender peas.

❷ Drain the peas and toss them with the vinegar, sugar, capers, olive oil, garlic, oregano, parsley, onion, salt and pepper. Serve on the bed of mixed salad greens and eat right away.

Salade aux Betterave

Moroccan-flavoured roasted beetroot-and-potato salad in jewel colours

If you have the opportunity to obtain yellow beetroots in addition to red, this adds an extra dimension of colour, plus it's very colourful to find a scarlet vegetable sitting in yellow chunks on the plate, as it looks like a delightfully edible joke! If yellow beetroots are not available, you may substitute yellow tomatoes or peppers, to achieve the same effect. Also yellow, Finnish, white Cypriot or steely blue potatoes each add their rainbow hues. All of these colours topped with a sprinkling of fresh dill, coriander and spring onions, make a beautiful, jewel-like salad, as ravishing to eat as it is to look at.

SERVES 4

- 450 g/1 lb raw, yellow beetroots
- 450 g/1 lb raw, red beetroots (if unavailable, use already-cooked beetroots, and omit the step of roasting the vegetable)
- 1 tsp sugar
- ½ cup extra virgin olive oil
- 450 g/1 lb small potatoes, preferably a mixture of colours: pink fir, blue, yellow Finnish, etc., or use baby or new potatoes, such as Cypriot
- 250 g/8 oz yellow tomatoes
- 250 g/8 oz cherry tomatoes, halved
- Salt and cayenne pepper to taste
- Juice of 1–2 lemons
- ½ tsp powdered cumin (or more to taste)
- 2 Tbsp chopped, fresh coriander
- 2 Tbsp chopped, fresh dill
- 2 spring onions, thinly sliced
- 8–10 purple-black olives (wrinkled salt- or oil-cured olives; Gaeta are recommended)

Preparation: 20 minutes

Cooking time: 1 hour

❶ Place the beetroots in a roasting pan in one layer, but preferably not touching each other. If you are using both yellow and scarlet beetroots, roast them in separate pans. Turn the oven up to 190°C/375°F/Gas Mark 5 and roast the beetroots for about an hour, or until they are tender; larger beetroots will take longer; smaller, more tender ones take less time. Alternatively, you may steam or boil them, but the flavour is richest when roasted.

❷ When they are cool enough to handle, slip the skins off and cube them. Toss them with the sugar, and about a third of the lemon juice and olive oil; then set aside (if you have both yellow and scarlet beetroots, be sure to dress them separately).

❸ Boil or steam the potatoes until they are just cooked, then remove them from the heat and leave them to cool slightly. When they are cool enough to handle, slip their skins off and cube them. Dress with salt and cayenne pepper, and about a third of the fresh lemon juice and olive oil; then set aside.

❹ Arrange the beetroots, potatoes and tomatoes on the plate, and sprinkle with cumin. Dress with the remaining freshly squeezed lemon juice and olive oil, and scatter the chopped dill, coriander, spring onions and olives over the mixture.

Olive oil is a perfect companion to grilled foods, whether used in marinades or sauces, or simply brushed onto whatever meets the heat of the grill.

If you do nothing else, take your cruet of olive oil and a few wedges of lemon to the grill. Brush whatever you are cooking with the oil, then cook it over the coals. When tender, remove to a plate and drizzle with more olive oil; then squirt lemon over it, and sprinkle with whatever herbs you desire. Voilà!—the essential Mediterranean grill.

Grilled Halloumi

with olive oil, brandy and lemon-herb-marinade

Grilled halloumi cheese is one of the great and simple pleasures of eating in Cyprus. When cold, halloumi is rubbery, slightly tough and quite salty—when heated over a barbecue, it grows soft and supple, imbued with the deliciously smoky scent of the

SERVES 4
- Approximately 225 g/8 oz halloumi cheese, cut into 5-mm/¼-inch slices
- 2 Tbsp extra virgin olive oil, preferably a Greek or Cypriot variety
- 30 ml/2 Tbsp brandy
- Several pinches of Herbes de Provence or Bouquet Garni
- 1 garlic clove, chopped
- 1 lemon, cut into halves

Preparation: 5 minutes
Marinating time: 1½–2 hours
Cooking time: 5 minutes

❶ Combine the cheese with the olive oil, brandy, herbs, garlic and the juice of one lemon half. Leave to marinate for 30 minutes to several hours.

❷ Cut the remaining lemon into wedges and set aside.

❸ Cook the halloumi cheese quickly on a hot barbecue, letting it brown lightly on each side, but be careful that it doesn't melt through the grate. You can also use a pan to prevent this.

❹ Remove from the hot fire and serve immediately, garnished with the remaining lemon wedges.

Pork or Lamb Souvlaki

Tangy, garlicky, and richly scented with olive oil, this dish is inspired by souvlaki I ate in a taverna in Crete 20 years ago.

SERVES 6
- 1.1 kg/2½ lbs boneless pork or lamb, either leg or shoulder; use a cut with lean,tender meat and a bit of fat at the edge, cut into bite-sized pieces
- 1 onion, chopped fine
- 5 garlic cloves, crushed
- 75–125 g/3–4 fl oz lemon juice

Preparation: 30 minutes
Marinating time: at least 2 hours
Cooking time: 10 minutes

- 75–125 g/3–4 fl oz extra virgin olive oil
- 1 tsp oregano, crushed
- Salt and black pepper

TO SERVE:
- Chopped parsley, olives, pitta bread, lemon wedges for pork, or unsweetened yoghurt for lamb

❶ Combine the pork or lamb with the onion, garlic, lemon juice, olive oil, oregano, salt and pepper. Leave to marinate for at least three hours at room temperature, or up to two days in the refrigerator.

❷ Remove from the marinade, and skewer onto soaked bamboo or metal skewers. Grill over medium-hot coals for about eight minutes, turning occasionally. Serve immediately with parsley, olives and lemon, resting on a piece of pitta bread. If using lamb, serve a bowl of unsweetened yoghurt on the side.

▲ *Grilled Halloumi*

Les Légumes Grillés

grilled Mediterranean vegetables, Provence-style

I ate these at the feast of St. Laurent, the patron saint of grilling, who, appropriately enough, was martyred by being burnt at the stake.

Serves 4

- 3 courgettes, cut into 5-mm/¼-in slices
- 1 red pepper, cut into wide wedges
- 1 yellow pepper, cut into quarters
- 1 green pepper, cut into quarters
- 3 Tbsp extra virgin olive oil
- 5 garlic cloves, chopped
- Juice of ½ lemon or 1 Tbsp balsamic or white-wine vinegar
- 14–20 cherry tomatoes
- Bamboo skewers, soaked in cold water for 30 minutes, or metal skewers
- Salt and pepper
- 2–3 Tbsp pesto or fresh basil, finely chopped and puréed with a little garlic and olive oil

Preparation: 10–15 minutes

Marinating time: 30 minutes

Cooking time: 10–15 minutes

❶ Combine the courgettes and peppers with the olive oil, garlic and lemon or vinegar. Marinate for about 30 minutes if possible.

❷ Meanwhile, thread the cherry tomatoes onto the skewers. Remove the courgettes and peppers from the marinade, saving the marinade to dress the vegetables afterwards.

❸ Grill the vegetables over a medium-high heat until they are lightly charred and browned in places, and tender all the way through. Remove from the grill, and return to the marinade. Leave to stand until the vegetables are easy enough to handle.

❹ Meanwhile, grill the cherry tomatoes for about 5 minutes on each side or until slightly browned. Remove from the grill.

❺ Dice the courgettes and peppers, and slice the tomatoes. Season, combine the juices with the pesto, pour over the vegetables and serve, dressed in a little extra olive oil if desired.

Fire-Grilled Fish

I like this dish with a simple salad of peppers, sliced fennel and black niçoise olives, awash in olive oil and lemon. Any small fish are delicious served in this simple style.

Serves 4

- 1.1 kg/2½ lbs small fish, cleaned, but with heads and tails intact
- 125 ml/4–5 fl oz extra virgin olive oil, Tuscan or provençal, preferably
- Salt, pepper and oregano to taste
- 2–3 garlic cloves, crushed
- 1 Tbsp fresh chopped parsley
- Juice of 1 lemon

Preparation: 10 minutes

Cooking time: 5–10 minutes

❶ Brush the fish with olive oil, salt, pepper and oregano, then cook them over an open fire for about three minutes on each side. Remove from the grill.

❷ Combine the garlic with the parsley and lemon, then stir in as much of the olive oil as you can. Arrange the fish on a serving plate and pour over the seasoned olive oil. Serve immediately.

▲ *Les Légumes Grillés*

Samak Meschwi bi Tahini

grilled swordfish, Middle-Eastern style, with bay leaves and tahini sauce

SERVES 4
- 1.1 kg/2½ lbs swordfish
- 1 onion, grated
- 8 garlic cloves, chopped
- Juice of 2 lemons
- 125 ml/4 fl oz extra virgin olive oil
- Several bay leaves
- Salt and pepper

TAHINI SAUCE
- 175 g/6 oz sesame paste (tahini)
- 2 garlic cloves, chopped
- Few dashes of hot-pepper sauce
- Few pinches of cumin
- Salt and pepper
- Juice of 1 lemon
- 2 Tbsp extra virgin olive oil
- 125 ml/4 fl oz water, or enough to make a smooth, thick sauce
- Few sprigs fresh oregano
- Lemon wedges to garnish

Preparation: 20 minutes

Marinating time: at least 1 hour

Cooking time: 8–10 minutes

❶ Combine the fish, onion, garlic, lemon juice, olive oil, bay leaves, salt and pepper. Marinate for at least an hour, preferably overnight in the refrigerator.

❷ Skewer the marinated fish and bay leaves on either soaked bamboo (30 minutes in cold water) or metal skewers, alternating the fish cubes with the bay leaves. Though you don't eat the bay leaves, they perfume the fish delightfully.

Eaten throughout the Mediterranean, swordfish is usually marinated with bay leaves, lemon and lots of olive oil, then skewered and cooked over a wood fire. In Turkey, you'll find it dressed with a walnut sauce; in the eastern Mediterranean, the sauce will likely be a classic tahini. I like a few wedges of lemon, and a dab or two of harissa on the side.

❸ Grill over a medium–low charcoal fire for about 8 minutes, turning to cook evenly.

❹ Meanwhile, mix the tahini with the garlic, hot-pepper sauce, cumin, salt, pepper, lemon juice and olive oil, then slowly stir in the water until it has the desired consistency. Taste for seasoning.

❺ Serve with fresh oregano, accompanied by lemon wedges and the tahini sauce on the side.

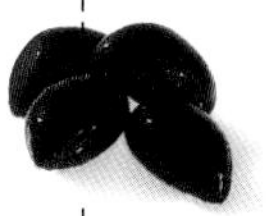

Middle-Eastern Grilled Aubergine

with pomegranate-and-mint salad

This dish of thinly sliced, grilled aubergine is served with a sweet-and-sour pomegranate dressing, a leafy green salad and fresh, fragrant mint. It is an excellent accompaniment to grilled chicken or lamb.

SERVES 4
- 1 aubergine
- Extra virgin olive oil, as needed
- 5 garlic cloves, chopped
- 4–5 Tbsp pomegranate syrup or molasses (available in Middle-Eastern delis)
- 6 Tbsp balsamic vinegar
- Handful of mixed salad leaves
- Salt and pepper to taste
- 3 Tbsp mint leaves, finely chopped

Preparation: 20 minutes

Cooking time: 20 minutes

❶ Slice the aubergine and brush slices with olive oil.

❷ Grill the aubergine slices until they are lightly browned and tender inside. Remove from the grill and rub them with the garlic.

❸ Combine the pomegranate syrup with an equal amount of the balsamic vinegar and set aside, then toss the greens with a little olive oil and the remaining balsamic vinegar to taste, adding salt and pepper as desired.

❹ Serve the aubergine slices sprinkled with the pomegranate-and-vinegar syrup and chopped mint, and the mixed-salad leaves on the side.

Anginares Psites sta Karvouna

artichokes roasted over a fire, Greek or Italian-style

Throughout the sun-baked Mediterranean, artichokes are bathed in olive oil and cooked over an open fire. In Sicily, they are actually set directly into the hot coals after the rest of the meal has cooked, and the coals are smouldering; artichokes cooked this way are sublime.

If the artichokes are slightly tough and a little bitter, as they often are, blanch them first and scoop out their sharp, thistly insides. If the artichokes you are using are tender and sweet, with no choke, then you don't need to blanch them or scoop out their insides. So, know your artichokes before you proceed with the recipe. (A good way to check for bitterness is to taste a little bit first when raw. As for the thistle and choke, you can easily see and feel if it needs to be removed.)

On the Greek islands of Kythera and Zakynthos, you still sometimes find artichokes sold as street food, smoky and tender, its leaves to be dunked into more olive oil, lemon juice and coarse sea salt.

SERVES 4

- 4 medium–large-sized artichokes
- 8 garlic cloves, sliced
- 3 Tbsp lemon juice
- 75 ml/3 fl oz extra virgin olive oil, either Greek or Apulian
- Salt and pepper to taste
- 2–3 Tbsp mixed herbs, such as parsley, oregano, marjoram or thyme
- Coarse salt or aioli (pg. 120) to serve

Preparation: 1 hour

Cooking time: 40 minutes

❶ If necessary, blanch the artichokes until they are part-tender, about 15 minutes, then remove and drain. Cut the artichokes in half and remove the fuzzy, inside choke and thistly middle. Place them in a dish and marinate with the garlic, lemon juice, olive oil, salt, pepper and herbs for at least an hour. If not blanching or scooping out the insides, simply pull the leaves apart a bit, then pour over the marinade so that it falls into the crevices of the leaves.

❷ Remove the artichokes from the marinade, reserving the marinade, and grill them on each side, until they are lightly browned, basting continually with the reserved marinade. For blanched artichokes, you will only need to grill them for 10 to 15 minutes; for raw ones, allow about 40 minutes, or until the leaves pull off easily.

❸ Serve with more olive oil, lemon juice and coarse salt, or with a bowl of aioli.

vegetable dishes

Olive oil and vegetables are lusty companions whether you are serving a side dish or a main course. Almost any vegetable is improved by a hefty splashing of this smooth, sweet oil. The finest of the season's vegetables are picked from the garden, steamed or boiled, then served awash with olive oil and lemon. In Greek tavernas, the most-common recipe you will find is whatever vegetable is ripe in the garden or market, stewed with onions, garlic, perhaps tomatoes and lashings of olive oil. The oil takes on the flavour of the vegetables, and makes the most luscious sauce for dipping bread imaginable.

Three Types of Peas with Pistou

Peas, mangetout and sugar-snap peas are delicious with the herb flavour of basil. To contrast colour, texture and flavour, I sometimes add a handful of miniature, yellow courgettes, cut into halves.

SERVES 4

- 225 g/8 oz sugar-snap peas
- 225 g/8 oz mangetout
- 115 g/4 oz peas (frozen *petits pois* may be substituted)
- 1 Tbsp extra virgin olive oil, preferably a light Ligurian oil
- 1 garlic clove, chopped
- 3 Tbsp Pistou (pg. 118), or fresh basil, chopped finely and mixed with olive oil and Parmesan cheese, to taste

Preparation: 5–10 minutes

Cooking time: 5–10 minutes

❶ Steam the three types of peas, separately, until each is just crisp-tender. The sugar-snap peas should take about 2–4 minutes, the mangetout about 1–3 minutes and the peas, slightly longer, depending on their age. If using frozen peas, they only need to warm through.

❷ Rinse the sugar-snap peas, mangetout and peas in cold water to keep them bright green and slightly crunchy. Toss the three types of peas together with the extra virgin olive oil, chopped garlic and Pistou, and serve at room temperature as an appetizer or a salad, or as a delicious side dish with roasted chicken (especially a cold, roast chicken for an *al fresco*—outdoor—lunch or picnic).

Alan's Roasted "Patates"

Alan's potatoes are crisp, fragrant and utterly irresistible. They will transform your Sunday lunch. A handful of bay leaves or rosemary sprigs added while roasting is wonderful, too.

SERVES 4

- 1.1 kg/2½ lbs potatoes, unpeeled and cut into chunks or quarters
- Salt to taste
- Pinch of sugar
- 75 ml/3 fl oz olive oil, or even more as needed; I recommend Portuguese, Tuscan, Molise or Greek olive oil
- 1 whole head of garlic, broken into cloves

Preparation: 10 minutes

Cooking time: 1½ hours

❶ Place the potatoes in a saucepan with water to cover. Add the salt and sugar, and bring to the boil. Cook until they are still slightly crunchy.

❷ Drain the boiled potatoes thoroughly, then place them in a baking dish so that they are not touching each other, and salt them well. Drizzle with the olive oil, and add the garlic to the pan, with the cloves resting between the potato chunks.

❸ Bake at 180–200°C/350–400°F/Gas Mark 4–6 for an hour or longer, turning once or twice, or until the potatoes are a crunchy, golden-brown on the outside, and the garlic cloves are soft and tender on the inside. Serve right away.

▲ *Three Types of Peas with Pistou*

Broccoli Raab

broccoli with garlic, hot pepper and olive oil

Broccoli raab can be bought in speciality food markets from autumn through to spring. I especially like this dish served at room temperature, much like a salad.

SERVES 4
- 675 g/1½ lbs broccoli raab (you can use broccoli or cabbage greens if broccoli raab is unavailable)
- Several pinches of hot-pepper flakes
- 2–3 garlic cloves, chopped
- 50 ml/2 fl oz extra virgin olive oil, such as Tuscan
- Sea salt to taste
- Juice of ¼–½ lemon

Preparation: 10–15 minutes

Cooking time: 10–15 minutes

❶ Either steam or blanch the greens, then remove from the pan. Alternatively, you can cook the greens in a covered pan, letting them cook gently in their own juices.

❷ Place the cooked greens in a pan with the hot-pepper flakes, garlic and olive oil. Cook together, covered, for about five minutes. Season with salt and freshly squeezed lemon juice, and let cool. Serve as desired.

Roasted Root Vegetables

Root vegetables are delicious when cut into chunks or chips and drenched in olive oil before being roasted to a crispy-brown exterior and a tender, creamy inside. Roasting intensifies the flavour—carrots and parsnips are particularly good added to a pot-roasted beef. The final garlic seasoning is optional, but as I am a confirmed aioli-phile, it is recommended.

SERVES 4
- 2 of each: carrots, parsnips, potatoes, turnips, celeriac, sweet potatoes or any root vegetable you can find
- 2–3 Tbsp extra virgin olive oil
- Salt and pepper to taste
- 2–3 cloves garlic, chopped

Preparation: 10 minutes

Cooking time: 1–1½ hours

❶ Cut the vegetables into chunks or chips, and blanch them quickly. Drain and toss them in olive oil, salt and pepper and arrange on a baking sheet.

❷ Roast in a 200°C/400°F/Gas Mark 6 oven until they are browned and crisp, turning every so often. Toss them with garlic and serve.

▲ *Broccoli Raab*

Savoury Roasted Pumpkin

Drizzling the pumpkin or squash with olive oil and balsamic vinegar, then baking it, is a simple, healthy way to serve this rich, sweet vegetable.

Serves 4

- 1.1 kg/2½ lbs pumpkin, or large orange squash or other winter squash, cut into several pieces
- 3–5 garlic cloves, chopped
- 3 Tbsp extra virgin olive oil
- 1 tsp balsamic vinegar
- Sea salt and freshly ground black pepper, to taste
- A pinch of mild, red chilli powder, to taste
- A pinch of oregano or sage, to taste

Preparation: 5–10 minutes

Cooking time: 1 hour

❶ Arrange the squash or pumpkin on a baking sheet, and sprinkle all of the other ingredients over it.

❷ Cover tightly with foil, and bake for about an hour at 180°C/350°F/Gas Mark 4, or until the pumpkin or squash is tender. Unwrap and serve hot.

Variation

Leftovers may be mashed with a splash of extra virgin olive oil, a little chopped garlic, a few drops of lemon and served as a antipasto or meze-type salad.

Lentejs con Chorizo

lentils with chorizo

I like to make this delectable lentil dish with French puy lentils—they stay together when cooked, and never go mushy. This dish is surprisingly easy to toss together, and robustly delicious to eat, as delicious a tapa as it is a side dish.

SERVES 4

- 150 g/5 oz freshly cooked puy or other dark, small, firm lentils, or 175 g/6 oz uncooked puy lentils with 3 bay leaves (plus water to cover)
- 3–4 Tbsp extra virgin olive oil, plus extra to drizzle, if desired
- 3 garlic cloves, chopped
- 125 ml/4 fl oz tomato juice
- 3 ripe tomatoes, chopped (if using canned tomatoes, include their juices and omit the tomato juice)
- 75 g/3 oz Spanish chorizo sausage, cut into small pieces
- 2–3 tsp chopped, fresh rosemary
- Salt and pepper to taste

Preparation: 15–20 minutes

Cooking time: 1 hour

❶ If the lentils are uncooked, place them in a saucepan with the bay leaves and water. Bring them to the boil, then reduce the heat and leave them to simmer until they are tender, about 30 minutes. If they are still a little firm, remove them from the heat and leave them for another 30 minutes in the hot water, covered, to plump up.

❷ Heat the olive oil and garlic in a large saucepan, and when fragrant, add the lentils, plus 5 tablespoons of their cooking liquid and the tomato juice. Cook over a high heat until the liquid is nearly all evaporated, then add the tomatoes, chorizo and rosemary.

❸ Cook together for a few minutes, then taste for seasoning, and if needed, add salt and pepper to taste. Serve immediately, with an extra drizzle of olive oil, if desired.

Gratin de Pommes de Terre

potato-tomato gratin, with the flavours of Provence

This gratin layers potatoes with tomatoes and olive-oil–and cooked onions, unlike many other gratins, which are creamy and cheesy. This is terrific warm, as a summer supper on a cool evening, or served with a salad of rocket and ripe olives, and perhaps a dish of seafood appetizers.

Like so many dishes cooked in olive oil, this is best served at room temperature the next day.

SERVES 4–6

- 1.1 kg/2½ lbs potatoes, preferably waxy ones, peeled and cut into halves
- 3–4 onions, thinly sliced
- 50–75 ml/2–3 fl oz extra virgin olive oil
- 8 garlic cloves, chopped
- Salt and black pepper to taste
- 450 g/1 lb tomatoes (canned are fine), coarsely diced or broken up

Preparation: 20 minutes

Cooking time: 1 hour

❶ Parboil the potatoes until they are nearly cooked, about 15 minutes. Remove from the water and let cool for about 15 minutes, or until you are able to handle them. Then peel and cut into 3-mm/⅛-inch-thick slices.

❷ Meanwhile, sauté the onions in a few tablespoons of olive oil, and when they have softened, sprinkle in half the garlic. Season with salt and pepper, and continue to cook until soft and lightly browned.

❸ Layer the onions in the bottom of a 35-cm/14-inch casserole dish, then layer the sliced potatoes and tomatoes, with the remaining garlic, olive oil, salt and pepper, ending with a layer of the tomatoes and a drizzle of olive oil.

❹ Sprinkle with oregano, then bake in a 190–200°C/375–400°F/ Gas Mark 5–6 oven for 20–30 minutes, or until the top is lightly browned, the whole thing is sizzling, and the potatoes have cooked through.

Olive-Oil-Flavoured

mashed potatoes

Olive oil takes the place of butter in this rich, smooth purée of potatoes from Provence, which has become the darling of restaurants from Paris to California. I have made it both with and without garlic, and this may be the only time I recommend making this dish without the garlic as it lets the flavour of the olive oil shine through.

SERVES 4

- 1.5 kg/3½ lbs baking potatoes, peeled and cut into chunks or quarters
- 125 ml/4 fl oz single cream
- 125 ml/4 fl oz extra virgin olive oil (use a particularly flavourful variety)
- Salt, and a few coarse grindings of black pepper

Preparation: 15 minutes

Cooking time: 15 minutes

❶ Boil the potatoes in simmering, salted water until they are soft, then drain.

❷ Mash well, adding the cream first, then slowly add in the olive oil, a little at a time, letting the potatoes absorb it before you add more.

❸ Season well with salt and pepper, and serve.

VARIATION:

For a golden hue, and a delightful, haunting flavour, beat in a few pinches of saffron threads previously dissolved in a few tablespoons of hot stock (meat, chicken or vegetable), along with a clove of chopped garlic. Serve with grilled courgettes, roasted red peppers and roasted tomatoes (see page 30).

Piselli e Asparagi

peas and asparagus stewed with tomatoes and saffron

This recipe is perfect as a tapa or side dish with a roast chicken or duck. When young, tender swede are available, I add three to four, blanched and cut into bite-size pieces, to the vegetable mix.

SERVES 4
- 1 onion, chopped
- 5 garlic cloves, chopped
- 4 Tbsp extra virgin olive oil
- Salt and pepper to taste
- 225–350 g/8–12 oz peas
- 400 g/14 oz ripe, diced tomatoes, or 1 can tomatoes including juice
- 1 tsp chopped, fresh rosemary
- 15–20 asparagus spears
- Large pinch of saffron, dissolved in 1 Tbsp of warm water

Preparation: 20 minutes

Cooking time: 10-15 minutes

❶ Lightly sauté the onion and half the garlic in the olive oil until they are tender, then season with salt and pepper. Add the peas, stir for a few minutes, then add the tomatoes and rosemary, and cook for about five minutes.

❷ Cut the asparagus into bite-sized pieces and add to the pan with the saffron, and continue to cook for another five minutes or so, then either serve hot or leave to cool to room temperature, and enjoy when tepid.

Sautéed Celeriac

I enjoyed the following dish not long ago in France—blanched celeriac 'chips', browned in olive oil and sprinkled with parsley. Simple, but embarrassingly 'more-ish'.

SERVES 4
- 1 medium-sized celeriac
- Cold water
- Juice of ½ lemon
- ½–1 tsp sea salt, or as desired
- Black pepper to taste
- 115 g/4 oz plain flour, or as needed
- 125 ml/4 fl oz pure olive oil
- 50 ml/2 fl oz extra virgin olive oil, or as needed; a good Greek or Spanish oil
- 1 Tbsp chopped fresh parsley
- 1 Tbsp chopped fresh chives

Preparation: 10–15 minutes

Cooking time: 10–15 minutes

❶ Peel the celeriac carefully with a sharp paring knife, and cut into chips or julienne strips, then submerge them in cold water. Add the lemon juice and leave until you are ready to sauté them, up to an hour.

❷ Mix the salt and pepper into the flour, and place it in a big bowl or plastic bag for dipping. Drain the celeriac, pat it dry, then toss it in the seasoned flour in the bowl or bag, and mix to coat well. Remove it from the flour.

❸ Heat the oil in a saucepan until it is hot but not smoking, and in several batches (depending on the size of the pan), cook the floured celeriac until it is golden on both sides. Remove from the hot oil, drain briefly on paper towels, sprinkle with chopped fresh parsley and chives and serve immediately.

▲ *Piselli e Asparagi*

La Bohémienne

layered-aubergine casserole

Layered aubergine, lavished with tomatoes and olive oil then baked until meltingly tender, are a hallmark of Provence, and indeed, much of the Mediterranean. This one is simple, classic and delicious.

SERVES 4

- 2 medium-sized aubergines, sliced crossways
- Sea salt for sprinkling and for seasoning
- 3 garlic cloves, crushed
- 6 Tbsp extra virgin olive oil
- 1.1 kg/2½ lbs ripe tomatoes, chopped (canned are fine; use two 400 g/14-oz cans, with their juices)
- 1–2 Tbsp tomato purée, if needed
- Pinch of sugar
- Freshly ground black pepper and oregano, to taste
- 2 Tbsp fresh parsley, chopped

Preparation: 30 minutes

Cooking time: 1 hour

❶ Sprinkle the sliced aubergines with sea salt on both sides, leave for at least 30 minutes, rinse well with cold water, then pat dry.

❷ Lightly warm the garlic in a few tablespoons of the olive oil, then add the tomatoes and cook over a high heat for 10 minutes, or long enough to make a thick sauce (use tomato purée to thicken, if necessary). Season with salt, pepper, oregano and sugar.

❸ Cook the aubergines by browning in the olive oil, or by brushing them with the olive oil and grilling them. The aubergine should be lightly browned on the outside and tender inside.

❹ Layer the cooked aubergine with the tomato sauce and parsley, adding an additional layer of aubergine. Drizzle with a little more of the olive oil, then bake in the oven at 180°C/350°F/Gas Mark 4 for 30–40 minutes. Enjoy hot, warm or at cool room temperature.

VARIATION

Sometimes I cook this in a large sautéeing pan, instead of baking it in the oven, and I add about 350 grammes/12 ounces of cooked, drained chick-peas to the aubergine after they have stewed and become tender. Let the chick-peas warm in the tomato sauce, then serve hot, warm or leave to cool to room temperature.

▲ La Bohémienne

Tourlu

a casserole of summer squashes, with tomatoes and feta-cheese topping

Vegetable casseroles abound in Greece during the lush, fertile summer. Aubergines, peppers, tomatoes and courgettes … especially courgettes and other summer squashes. This casserole of tomatoes and cooked vegetables, topped with a feta-cheese–soufflé-like layer, can be made with any summer vegetables. Aubergine is also very nice. This dish is good warm or cold.

Serves 4

- 2–3 Tbsp extra virgin olive oil, preferably Greek
- 900 g/2 lbs courgettes or mixed summer squash, cut into bite-sized pieces
- 3–5 garlic cloves, coarsely chopped
- 400 g/14 oz diced tomatoes
- 1–2 Tbsp tomato purée, if needed
- Salt, pepper and a pinch of sugar
- ¼ teaspoon oregano, or to taste
- 4 eggs, lightly beaten
- 75 ml/3 fl oz milk
- 225 g/8 oz feta cheese, cut into bite-sized pieces, plus the crumbs
- Grated nutmeg, to taste

Preparation: 15–20 minutes

Cooking time: 1 hour

❶ Sauté the onion in the olive oil until it softens, then add the courgettes or squash and half of the garlic, and stir until lightly cooked. Add the tomatoes and cook for about ten minutes or until a tomato sauce is formed. Stir in the tomato purée if needed, and season with salt, pepper, a pinch of sugar and oregano to taste. Pour into a casserole or baking dish large enough for the mixture to fill to about half-full.

❷ Combine the eggs with the milk, feta cheese, nutmeg and pepper to taste. Pour this over the courgettes or squash and tomatoes.

❸ Bake uncovered in a preheated (190°C/375°F/Gas Mark 5) oven for about 30 minutes, or long enough for the casserole to puff slightly and turn golden brown on the top. Remove from the oven.

❹ Serve warm, or cool if preferred.

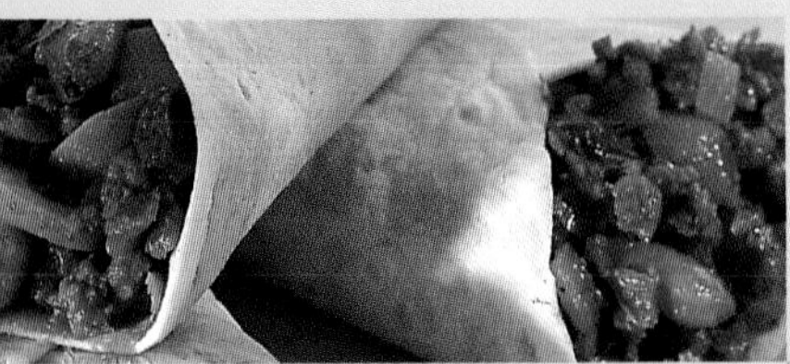

fish, meat and poultry

Rich and flavourful, olive oil is unsurpassed for cooking fish, meat and poultry, whether used to stew, braise, sauté or roast. It gives more flavour and character than other oils, and doesn't have the heaviness of butter.

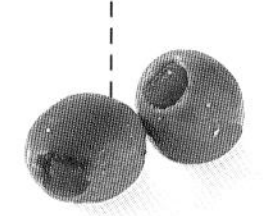

Hut B'Camoun

Moroccan whole fish baked with cumin

The spicy mixture of cumin, coriander and garlic, all bound up in olive oil, makes a lusty flavouring for fish. It is used here on a whole fish for roasting.

Serves 4

- 1 whole fish, such as a bass or snapper, about 1.5 kg/3–3½ lbs, cleaned but with head and tail left on
- 1 Tbsp coarse salt
- 1 lemon, cut into halves (one for juice and one to cut in wedges for a garnish)
- 125 ml/4 fl oz extra virgin olive oil
- 3 Tbsp ground cumin
- 2 Tbsp paprika
- 4 Tbsp chopped, fresh coriander
- 5 garlic cloves, chopped
- Black pepper, to taste

Preparation: 15–20 minutes

Cooking time: 40 minutes

❶ Heat the oven to 200°C/400°F/ Gas Mark 6. Wash the fish, then cut slashes on its outside skin. Rub half the salt and lemon juice into the cuts and inside the fish. Leave to stand for 15–25 minutes. Rinse with cold water and dry.

❷ Combine the olive oil, cumin, paprika, coriander, garlic, pepper and remaining salt, and mix into a paste. Rub the paste over the skin of the fish, inside and out, also inside the slashes.

❸ Place the fish on a baking sheet and roast for 30–40 minutes, or until the fish is done; its flesh will feel firm but not hard. Take care not to overcook.

❹ Serve hot, accompanied by wedges of lemon, and a cruet of olive oil if desired, for drizzling.

Karavithes Atmou

steamed langoustines

Greek lobsters are not to be missed—stop whenever you see a sign for a seaside taverna specializing in these huge creatures. Cooked over open coals or steamed gently, they are luscious when served with nothing more than lemon juice and lots of olive oil.

Serves 4

- 675 g/1½ lbs fresh langoustine or tiger prawns in their shells
- 125 ml/4 fl oz extra virgin olive oil, preferably Greek
- Juice of 2 lemons
- Salt to taste
- 1 bunch flat-leaf parsley, chopped

Preparation: 5–10 minutes

Cooking time: 5–10 minutes

❶ Place the langoustines or prawns in a steamer, and cook them until they have turned red, about 10 minutes for langoustine, five minutes for prawns.

❷ Whisk the olive oil and lemon juice together, then whisk in the salt and parsley. Serve the sauce on the side, or a little spooned over the warm seafood, and the rest in a bowl on the side for dipping. Serve immediately, along with a bowl for the shells to be discarded in.

▲ *Hut B'Camoun*

Roasted Chicken Breasts

served with roasted red peppers and tomatoes with grilled asparagus

A little marinade of olive oil does chicken breasts a world of good. It keeps the meat so moist and juicy, and gives an effortlessly Mediterranean flavour.

SERVES 4

- 4 chicken breasts, boned
- 3–4 Tbsp extra virgin olive oil
- 1 tsp balsamic vinegar
- Salt, pepper and Herbes de Provence, Bouquet Garni, or thyme, to taste
- 5 garlic cloves, chopped
- 1 bunch of thin asparagus
- 1 Tbsp white wine
- 2 red peppers, roasted and peeled
- 4 small, ripe tomatoes, cut into halves crossways

Preparation: 20 minutes

Cooking time: 15–20 minutes

❶ Combine the chicken breasts with two tablespoons of the olive oil, the balsamic vinegar, salt, pepper and Herbes de Provence and a third of the garlic. Leave to marinate while you prepare the other ingredients.

❷ Combine the asparagus with a tablespoon of the olive oil, the wine, salt, pepper, Herbes de Provence and a third of the garlic. Place on a baking sheet.

❸ Heat a heavy pan, and when it is very hot, add the chicken breasts and sear on both sides, then lower the heat and add the peppers and tomatoes. Each should be seared, but not overcooked. As each is ready, remove from the pan.

❹ Meanwhile, grill the asparagus until they are lightly browned and still crispy-tender, but crunchy. Turn once or twice.

❺ Serve the chicken, peppers, tomatoes and asparagus with the remaining olive oil and garlic sprinkled over it.

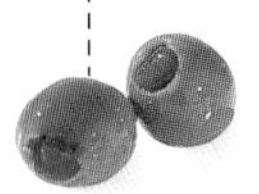

Tajine Msir Zeetoon

Moroccan chicken with lemons and three types of olives

This is one of my favourite dishes, as the lemon permeates the chicken, and the olives add piquancy. There is little work in preparing it—it basically simmers away in the oven —and it is never less than delicious. Any type of olives are delicious here; or you can use only one type if you like, but I prefer to use three different types of olives for variety.

SERVES 4

- 1 chicken, cut into serving pieces
- 1 Tbsp cumin
- 2 tsp paprika
- ½–1 tsp ginger
- ½–1 tsp turmeric
- 5 garlic cloves, chopped
- Several handfuls of fresh coriander, chopped
- Juice of 2 lemons
- Black and cayenne pepper, to taste
- 3–5 Tbsp flour
- 4 tomatoes, chopped (either ripe or canned)
- 10–15 each (three types in total): green olives of choice, black olives, cracked olives, oil-cured olives, purplish-red olives, Kalamata, pimiento-stuffed green olives, etc., drained
- 1 lemon, cut into 6 wedges
- 50 ml/2 fl oz extra virgin olive oil
- 250 ml/8 fl oz chicken stock
- Extra lemon juice, to taste

Preparation: 10 minutes

Marinating time: 30 minutes

❶ Combine the chicken with cumin, paprika, ginger, turmeric, garlic, coriander, lemon juice and pepper, and place in a baking dish in a single layer. Leave to marinate for 30 minutes, then add the flour, and toss together to coat well.

❷ Heat the oven to 160°C/325°F/Gas Mark 3. Add the chopped tomatoes, olives, lemon wedges, olive oil and stock to the dish. Bake uncovered for about an hour, or until the chicken is tender and a delicious sauce has formed.

▲ *Pan-Grilled Prawn Kebabs*

Pan-Grilled Prawn Kebabs

with roasted tomatoes

With such simple ingredients, the quality of the olive oil is very important: it should sing with flavour! Ditto for the tomatoes.

This may be prepared on the barbecue if you like, and it is actually a very convenient dish to prepare for entertaining, as the tomatoes not only may be roasted the day ahead, but they are at their best that way.

Serves 4

- 8–12 small-to-medium, ripe, flavourful tomatoes
- Pinch of sugar
- Pinch of salt
- 45–50 small-to-medium prawns and about 35–40 tiger prawns, in their shells, heads and tails can be removed (optional)
- 75–125 ml/3–4 fl oz extra virgin olive oil
- 2 tsp balsamic vinegar
- 3 garlic cloves, chopped, or to taste
- Salt and a few grinds of black pepper, to taste
- 2–3 Tbsp fresh basil leaves, thinly sliced or torn
- Lemon wedges, for serving

Preparation: 30 minutes

Marinating time: 30 minutes

Cooking time: 1 hour

❶ Place the tomatoes in a roasting pan, preferably a ceramic Mediterranean one, then bake in the oven at 190°C/375°F/Gas Mark 5, uncovered, for 20–30 minutes. The skin should have split, exposing some flesh. Sprinkle with sugar and salt, then return to the oven and continue to roast for another 15–25 minutes.

❷ Remove and leave to cool. It is best to let them stand overnight, as the juices will run out and thicken.

❸ Remove the skins of the tomatoes, and squeeze them to extract their flavourful juices. Discard the squeezed-out skins, and pour the juices over the roasted tomatoes, then cut the tomatoes into halves or quarters.

❹ Place the prawns in a nonreactive bowl for marinating; add several tablespoons of olive oil, a teaspoon of balsamic vinegar and half the garlic. Leave for at least 30 minutes. Meanwhile, soak 8–12 bamboo skewers in cold water (or use metal skewers to avoid soaking).

❺ Tightly thread the prawns onto the skewers. Save the marinade to heat through as a pan sauce.

❻ Heat a pan and brown the prawns quickly on each side, for only a few minutes, depending on their size. Remove to a plate and keep warm.

❼ Heat the tomatoes in the pan, then remove to the plate, and sprinkle with the remaining garlic. Pour the marinade into the pan, heat through until it bubbles, then pour over the prawn skewers and tomatoes. Sprinkle with salt and pepper, then the basil and serve right away, accompanied by lemon wedges.

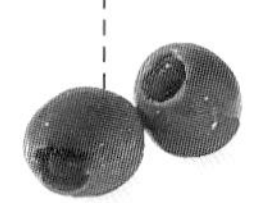

Caribbean Seared Tuna

A wonderful example of a small amount of oil, which gives a lovely, large amount of flavour. Serve with sweet potatoes brushed with olive oil, then grilled or roasted.

SERVES 4
- 4 tuna steaks, about 175 g/6 oz each
- 3 garlic cloves, chopped
- ½ tsp salt
- ½ tsp cumin
- Juice of 2 limes, or juice of 1 orange and 1 lime
- Black and cayenne pepper to taste
- 2 Tbsp extra virgin olive oil, or as needed
- Mojo sauce (pg. 121)

Preparation: 10 minutes

Marinating time: 30 minutes

Cooking time: 5–10 minutes

❶ Combine the tuna with the garlic, salt, cumin, lime juice, black and cayenne pepper. Leave for about 30 minutes, then remove from the marinade and pat it dry.

❷ Brush the fish generously with olive oil, then cook quickly either in a frying pan or over a charcoal fire, about a minute or two on each side only.

❸ Serve with mojo sauce spooned over it when hot.

Mediterranean Poached Fish

The leftover juices from this dish make a superb stock—serve Greek–style, thickened with beaten, raw egg (see note, page 4) and lemon.

SERVES 4
- 1 large onion, chopped
- 2 Tbsp fresh, chopped parsley
- 1 bay leaf
- Several sprigs of thyme
- Pinch of cloves
- Salt and pepper to taste
- 250 ml/8 fl oz dry white wine
- 250 ml/8 fl oz fish stock
- 250 ml/8 fl oz water
- 450 g/1 lb small, new potatoes, peeled
- 1.1 kg/2½ lbs fish of choice for poaching
- 125 ml/4 fl oz extra virgin olive oil
- Juice of 1 lemon

Preparation: 30 minutes

Cooking time: 1hour

❶ Combine the onion, half the parsley, the bay leaf, thyme, cloves, salt, pepper, wine, fish stock and water, and bring it to the boil. Reduce the heat, simmer for about 30 minutes and strain.

❷ Place the potatoes in a saucepan and pour half the strained stock over them. Bring to the boil, then reduce the heat and simmer until they are tender, about 15 minutes (depending on the size of the potatoes).

❸ Meanwhile, place the fish in the pan and pour half of the hot stock over it. Then place on a low-to-medium heat, and let the fish and broth come to a gentle simmer (but do not boil). Just before the liquid boils, remove it from the heat and leave for about 10 minutes. It should steep, rather than cook forcibly.

❹ Add the hot, boiled, drained potatoes to the hot, drained fish (reserving liquids from both to make a soup), drizzling with the olive oil, and squeezing the lemon juice over it. Sprinkle with the reserved parsley and serve.

▲ *Caribbean Seared Tuna*

Monkfish with Orange

tarragon, garlic and bay leaves, with a flame of brandy

I adore this flavouring combination for a wide variety of foods—pork, chicken and shellfish, especially. Try scallops or prawns in place of the monkfish, or make a melange of prawns, scallops and monkfish.

SERVES 4

- 675 g/1½ lbs monkfish steaks
- 225 g/8 oz prawns, left in their shells for maximum flavour, or removed from their shells for easier eating
- 1–2 tsp fresh tarragon leaves
- 4–6 bay leaves, broken in halves
- 10 garlic cloves, coarsely chopped
- 250 ml/8 fl oz dry white wine
- 250 ml/8 fl oz orange juice
- Grated rind of ½ orange
- Salt and pepper to taste
- 50–75 ml/2–3 fl oz extra virgin olive oil
- 2 Tbsp brandy
- 1 Tbsp fresh chopped parsley

Preparation: 15–20 minutes

Marinating time: 1–3 hours

Cooking time: 10–15 minutes

❶ Combine the monkfish and prawns with the tarragon, bay leaves, garlic, wine, orange juice, orange rind, salt and pepper. Leave this to marinate for at least an hour, or up to 3 hours in the refrigerator.

❷ Remove the fish and prawns from their marinade, putting the marinade aside and pat dry.

❸ Heat a heavy pan, preferably nonstick, with the olive oil, and when it is very hot, add the prawns and monkfish, only enough so that they do not crowd the pan. Cook on one side until they just begin to change colour, then turn to the other side and lightly brown them. You want them to stay juicy and not overcook—allow only a few minutes into total. Pour the brandy into the pan; it will flame up quickly, so be extremely careful and take care of your face, eyebrows and any curtains near the stove. When the flames die down, remove the prawns from the pan.

❹ Add the marinade and reduce down until it forms a flavourful sauce, about 5 to 8 minutes, then return the monkfish and its juices to the pan (discarding the bay leaves). Warm through, sprinkle with the chopped parsley and serve.

Picadillo

Picadillo is a Latin American mixture of minced meat, browned and simmered with spicy–sweet–savoury ingredients. It is delicious rolled into flour tortillas, or covered with a layer of puff pastry for a large pie, or—the more labour-intensive version—as a filling for individual little pastries or roasted, large, green chillies.

The hallmark flavours of picadillo are sweet raisins, crunchy nuts and saline, pungent olives, with a good shot of cinnamon and sugar added to the mix.

Serves 4
- 1 onion, chopped
- 3 garlic cloves, chopped
- 2 Tbsp extra virgin olive oil
- 450 g/1 lb lean minced beef
- 1/8–1/4 tsp cinnamon
- 1/8–1/4 tsp cumin
- 1/8–1/4 tsp cayenne pepper
- Pinch of cloves
- 4 heaped Tbsp raisins
- 4 Tbsp toasted almonds or cashews
- 75 ml/3 fl oz sherry or dry red wine
- 2–3 ripe tomtoes, diced
- 10–15 pimiento-stuffed green olives, sliced or halved
- 2 Tbsp tomato purée
- 1–2 Tbsp sugar, to taste (this is a sweet-and-sour sauce)
- 1–2 Tbsp red-wine or sherry vinegar, to taste
- 2 Tbsp chopped, fresh coriander

Preparation: 20 minutes

Cooking time: 30 minutes

❶ Sauté the onion and garlic in the olive oil until soft, then add the beef and brown, sprinkling with the cinnamon, cumin, cayenne pepper and cloves as it cooks.

❷ Add the raisins, almonds or cashews, sherry or red wine and bring to the boil. Cook until the sherry/wine has nearly evaporated, then add the tomatoes, olives, tomato purée, sugar and vinegar, and cook together until the sauce is thick and flavourful.

❸ Stir in the coriander and serve as desired.

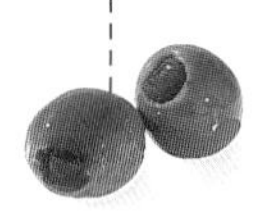

Gigot à l'Ail aux Olives

leg of lamb, French style, with whole cloves of garlic and olives

Greed wells up in me with a mad passion when I think of roasted lamb with whole garlic cloves and olives. Sometimes, just for the sheer delight of it, I toss a few artichokes into the roast as well. Aioli (pg. 120) is a nice accompaniment to this dish.

SERVES 6

- 1.8 kg/4 lb leg of lamb
- Rosemary or thyme, fresh or dried, as desired
- 8 garlic cloves, cut into slivers
- 2 heads of garlic, with cloves separated but not peeled
- 4–6 Tbsp extra virgin olive oil
- Salt and pepper as desired
- 250 ml/8 fl oz chicken stock
- 250 ml/8 fl oz red wine
- Several handfuls of flavourful olives of choice, either green or black
- 1–2 Tbsp fresh, chopped parsley or other fresh herbs, such as marjoram

Preparation: 15–20 minutes

Cooking time: 3 hours (approx.)

❶ Make incisions all over the lamb, and into each incision place a pinch of thyme or rosemary and a sliver or two of garlic. Place the lamb in a roasting pan and surround it with the whole garlic cloves. Drizzle 4 tablespoons of olive oil over the lamb, and sprinkle with any leftover, slivered garlic, salt and pepper.

❷ Roast, uncovered, at 180°C/350°F/Gas Mark 4 in the oven until the lamb reaches an inner temperature of 50°C/125°F. The lamb should be pink. This is an excellent time to use a meat thermometer, to check the meat's internal temperature.

❸ Remove from the oven and place the meat on a platter to keep warm. Skim the fat from the pan, and add the stock and red wine. Boil down until the sauce has reduced by about half and is very flavourful, then add the olives, and warm through.

❹ Serve the lamb sliced and surrounded by the roasted garlic-and-olive sauce, and a sprinkling of chopped parsley or herbs.

▲ *Gigot à l'Ail aux Olives*

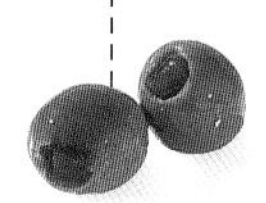

Daube Provençal

beef stewed with provençal flavours and olives

This may be made with any good, stewing cut: cheeks of beef are very fashionable these days, but chuck is more easily available.

Marinating the meat infuses it with flavour, while the wine helps to tenderize it. This is also a marvellous way to stew lamb. Black olives are delicious in this, but so are green. Whichever olives you choose, each will give their own distinctive character to the dish.

SERVES 6

- 1 carrot, chopped
- 2 leeks, chopped
- 1 bottle of red wine, such as Côtes du Rhone or Côtes de Provence
- 1 head garlic, cut in half crossways
- 1.1 kg/2½ lbs boneless, stewing beef, such as chuck, cut into chunks
- 2 bay leaves
- 1 tsp fresh (or several pinches of dried) thyme
- 4–5 Tbsp extra virgin olive oil
- 1 red pepper, diced
- 1–2 tsp Herbes de Provence or Bouquet Garni
- Grated rind of ¼ orange, chopped or in one piece
- 250 ml/8 fl oz beef stock
- 2–3 Tbsp cognac or brandy
- 225 g/8 oz diced tomatoes (canned tomatoes are fine)
- 3–5 garlic cloves, chopped
- 1–2 Tbsp chopped fresh parsley
- 10–15 black and 10–15 green olives; use good, Mediterranean, flavourful olives of choice

Preparation: 30 minutes

Marinating time: at least 5 hours

Cooking time: 3–4 hours

❶ Combine the carrot, leek, wine, garlic halves and beef in a bowl, and add the bay leaves and thyme. Leave to marinate for at least 5 hours or preferably one or two nights in the refrigerator.

❷ Remove the meat from its marinade, and stand a few minutes, preferably in a sieve, to remove its excess liquid. Pat the meat dry with kitchen paper.

❸ Remove the chopped vegetables from the marinade and strain in a colander, discarding the muddy sediment at the bottom of the bowl.

❹ Heat a few tablespoons of the olive oil in a heavy casserole, and lightly sauté the carrot, leeks and garlic. Remove for a moment, then brown the meat and the red pepper, in small batches, adding more olive oil as needed.

❺ Layer the sautéed vegetables and meat in the casserole, and add the strained marinade, the Herbes de Provence, grated orange rind, stock, cognac or brandy and the tomatoes. Bring to the boil, then cover and reduce the heat to very, very low, or place it in a preheated (160°C/325°F/Gas Mark 3) oven, and leave to slowly cook until the meat is very tender, about 3 to 4 hours.

❻ Carefully pour off the sauce, skim off the fat, then pour it into a saucepan and reduce until intensely flavourful. This may take about 15 minutes.

❼ Taste for seasoning, then stir the sauce back into the meat stew, adding the garlic, parsley and olives, and warm through. Serve immediately. Like most stews, though, this is even better the next day.

pasta and grains

Pasta and olive oil—these two ingredients are practically a recipe in themselves. Their basic goodness acts with whatever else you choose to give you a delicious, succulent and healthy meal. Rice and bulgur wheat, too, are delicious and savoury, when cooked with olive oil.

Pasta with Courgettes,

Ricotta and Walnuts

A classic dish from Liguria, Italy, the richness of the nuts and the bland, milky, ricotta cheese are enhanced by the smooth fragrance of the olive oil.

SERVES 4
- 450 g/1 lb pappardelle
- 4–6 courgettes, sliced
- 4–6 garlic cloves, chopped
- 4 Tbsp extra virgin olive oil
- 225 g/8 oz ricotta cheese, crumbled
- 175 g/6 oz grated, sharp cheese
- 25 g/1 oz or a generous handful of walnuts, chopped into pieces
- 1–2 tsp fresh thyme leaves

Preparation: 5–10 minutes

Cooking time: 5–10 minutes

❶ Cook the pasta in rapidly boiling water for five minutes, then add the courgettes and continue cooking until *al dente* (firm to the bite). Drain.

❷ Toss the hot, cooked, drained pasta and courgettes with the garlic, olive oil, ricotta and Asiago or Romano cheeses, walnuts and thyme. Serve immediately.

Rice Vermicelli

with olive oil, red chillies, rosemary and lemon

Pasta or rice made tangy with a big squirt of lemon juice are very comforting dishes. This East–West dish can be made with leftover, cooked rice-noodles, fresh rosemary and lemons, for a warming, tasty meal.

SERVES 4
- 225 g/8 oz rice vermicelli
- 3–4 garlic cloves, chopped
- ½ fresh red chilli, chopped coarsely (or as desired)
- 3–4 Tbsp extra virgin olive oil
- 1 Tbsp chopped, fresh rosemary
- Salt, to taste
- Juice of 1 lemon, plus additional wedges to serve
- Extra olive oil and chopped red chilli to garnish

Preparation: 5–10 minutes

Cooking time: 5–10 minutes

❶ Cook the rice vermicelli according to directions; usually, it just needs to boil for several minutes, though some require soaking. Drain.

❷ Heat the garlic and chilli in the olive oil until fragrant and warm (but not browned), one or two minutes. Then add the rosemary, pasta, salt and lemon juice. When the vermicelli is heated through, remove from the heat and serve, accompanied by extra olive oil, lemon wedges and chilli.

▲ *Pasta with Courgettes, Ricotta and Walnuts*

Spaghetti with Broccoli

and pistou

Broccoli, cooked with garlic, tomatoes and olive oil, is tossed with spaghetti, then served with a generous scoop of pistou. It is a deliciously hearty dish from the Italian coast of Liguria.

SERVES 4

- 1 bunch broccoli, cut into bite-sized pieces and florets
- 3–4 garlic cloves, chopped
- 4–5 Tbsp extra virgin olive oil
- Pinch of crushed, dried red chilli pepper (or chilli flakes)
- 400 g/14 oz tomatoes (canned tomatoes are fine; include the juice)
- 1 Tbsp tomato purée, if using fresh tomatoes
- Sea salt to taste
- 350 g/12 oz spaghetti
- 3–5 Tbsp Pistou (pg. 118)

Preparation: 10–15 minutes

Cooking time: 10–15 minutes

❶ Blanch the broccoli until crisp-tender, then drain, and place in a pan with the garlic, olive oil and chilli over a medium-high heat. Cook for a minute or two, then add the tomatoes, tomato purée and sea salt, and cook for a few minutes over high heat.

❷ Cook the spaghetti until *al dente* (firm to the bite), then drain and toss with the hot broccoli and tomato sauce. Serve each portion with a generous scoop of pistou.

Linguini with Olivada, Garlic,

goat's cheese and herbs

This simple combination of olive oil, garlic, herbs and goat's cheese is one of the most luscious you could have to accompany your hot, supple pasta. It takes only five minutes to prepare, which makes it even more wonderful!

SERVES 4

- 3–5 garlic cloves, crushed or finely chopped
- 5–7 Tbsp extra virgin olive oil, or as desired
- 30–40 black olives, stoned and coarsely chopped, or 3–4 Tbsp black-olive paste (olivada or olive tapenade)
- 1 cup goat's cheese, crumbled
- Several tsp of mixed, fresh herbs, such as parsley, thyme, marjoram and basil
- 350 g/12 oz linguini or other thin-strand pasta of choice

Preparation: 5 minutes

Cooking time: 5 minutes

❶ Combine the garlic with the extra virgin olive oil, olives, crumbled goat's cheese and mixed herbs, and let sit while you cook the pasta.

❷ Cook the pasta until *al dente*, then drain and toss with the olive sauce. Serve immediately.

▲ *Spaghetti with Broccoli and Pistou*

Pasta with Raw Tomato Sauce,

basil and goat's cheese

This recipe is the classic combination of hot pasta with raw tomatoes, rich with olive oil, basil, garlic and a crumbling of goat's cheese for fresh piquancy found in the streets of Naples—a true Italian tradition.

SERVES 4

- 10 very ripe, juicy tomatoes, diced
- Salt, to taste
- Few drops of balsamic vinegar
- 3 garlic cloves, chopped
- 4–6 Tbsp extra virgin olive oil
- Several handfuls of fresh basil, torn coarsely
- Few pinches of chilli flakes (optional)
- 350 g/12 oz pasta of choice
- 225 g/8 oz goat's cheese, crumbled

Preparation: 10 minutes

Marinating time: 1½–2 hours

Cooking time: 10 minutes

❶ Combine the diced tomatoes with several pinches of salt, balsamic vinegar, chopped garlic, most of the olive oil (except one tablespoon for tossing the cooked pasta) and basil (plus chilli flakes, if using). Leave to sit for at least 30 minutes, or preferably chill in the refrigerator for several hours.

❷ When ready to serve, cook the pasta until *al dente* (firm to the bite), then drain and toss with the goat's cheese and olive oil. Add to the sauce and serve immediately.

Pasta con il Tonno Rosso

pasta with tuna and tomato sauce

The addition of salty, juicy chunks of tuna is a classic of the Italian kitchen. Don't worry about using canned tuna as a substitute for fresh, as the canned is actually more authentic, though you could use leftover chunks of grilled tuna in its place.

SERVES 4–6

- 1 onion, chopped
- 5 garlic cloves, chopped
- 75 ml/3 fl oz extra virgin olive oil, or as desired
- 1.1 kg/2½ lbs diced tomatoes (or one 400 g/14-oz can, including the juices)
- 2 Tbsp tomato purée, if needed
- Salt, pepper and a pinch of sugar if needed to balance the acidity
- Pinch of oregano and/or marjoram, to taste
- 1 can tuna, 185 g/6½ oz (approximately), drained
- 450 g/1 lb spaghetti
- 3 Tbsp fresh chopped parsley
- 3 Tbsp capers, preferably salted rather than brined, but rinse well if brined
- 10–15 black olives, such as Gaeta, stoned and quartered
- Few Tbsp of toasted bread crumbs (optional)

Preparation: 15–20 minutes

Cooking time: 10–15 minutes

❶ Lightly sauté the chopped onion and half the garlic in the olive oil until softened, then add the tomatoes and cook over medium heat until the tomatoes are juicy. Add the tomato purée if needed, then season with salt, pepper, sugar and a pinch of oregano or marjoram to taste. Add the tuna to the sauce, and heat through.

❷ Meanwhile, cook the pasta in rapidly boiling, salted water until *al dente* (firm to the bite), then drain. Pour half the sauce into the pasta, and toss together with the capers and olives, then toss with the rest of the sauce. Sprinkle with the fresh, chopped parsley and the toasted bread crumbs (if using), and serve immediately.

Spaghetti alla Vongole

spaghetti with tomato-and-clam sauce from the streets of Naples

The first time I ate this, I was on my first foray to the continent, and on discovering the old cobbled streets of Naples, promptly sat down and ordered dinner. When it arrived, I had never seen anything so beautifully delicious—tiny clams tossed on a sea of tomato-based spaghetti sauce, with a dusting of fine, green parsley and the heady scent of garlic.

Choose tiny clams, if you like—they look lovely, but you must be careful not to swallow the shells. Larger clams are more convenient; if clams are not available, use mussels.

Serves 4

- 1 kg/2¼ lbs fresh clams in their shells, or mussels (removed from shells)
- 8 garlic cloves, chopped
- 125 ml/4 fl oz fruity, strong-flavoured, extra virgin olive oil
- Several pinches of hot, red-pepper flakes, or ½–1 dried, red chilli, crushed
- 125 ml/4 fl oz dry white wine
- 125 ml/4 fl oz puréed tomatoes
- 1 Tbsp tomato purée
- Sea salt to taste, and a pinch of sugar to balance the acidity, if needed
- Several large pinches of dried oregano, crumbled
- 450 g/1 lb spaghetti
- 2–3 Tbsp fresh chopped parsley

Preparation: 1 hour, 10 minutes

Cooking time: 15–20 minutes

❶ Cover the clams or mussels with cold, salted water, and leave them for 30–60 minutes to clean. Remove and drain.

❷ Sauté the clams or mussels with half the garlic in the olive oil for about five minutes, then add the hot-pepper flakes and wine, and cook over high heat to evaporate. Add the puréed tomatoes, tomato purée, remaining garlic, salt, sugar and oregano. Cover and cook over medium heat until the clams pop open, about 10 minutes.

❸ Cook the spaghetti until *al dente* (firm to the bite), then drain and toss with a few tablespoons of the sauce, pour it onto a large platter or into bowls, and top with the remaining sauce and clams. Sprinkle with fresh chopped parsley and serve.

▲ *Spaghetti alla Vongole*

Sbarrigia

chicken and olive risotto

Full of chicken, tomatoes and olives, this rice dish is a classic of the Sicilian table.

SERVES 4

- ½ onion, chopped
- 4 garlic cloves, chopped
- 3 Tbsp extra virgin olive oil
- 375 g/12 oz arborio rice
- 375–400 g/12–14 oz diced tomatoes, fresh or canned, with their juices
- 125 ml/4 fl oz dry, white wine
- 1 litre/1¾ pints chicken stock, or as needed (a bouillon cube or two mixed with water is fine)
- 25 green olives, pimiento-stuffed, or about 15 black and 15 green olives, stoned and cut into halves
- 1 chicken breast, poached and cut into shreds or small pieces
- Several pinches of mixed Italian herbs, or a combination of rosemary, thyme and sage
- Freshly ground black pepper for sprinkling (the olives and the Romano are both salty, so you probably won't need salt)
- 75–115 g/3–4 oz Romano or other sharp cheese, grated coarsely
- 1–2 Tbsp chopped, fresh parsley

Preparation: 15–20 minutes

Cooking time: 20–30 minutes

Lightly sauté the onion and garlic in the olive oil until softened, then stir in the rice and cook for a few minutes until lightly golden. Add the tomatoes and cook for a few more minutes, then pour in the wine, stirring until the rice has absorbed the wine. Then, begin to add the stock, a few half-cups at a time, letting the rice absorb while you stir, and increasing the amounts while the rice cooks to absorb the liquid more quickly. When the rice is *al dente* (firm to the bite), stir in the olives, chicken, herbs, pepper, cheese and parsley. Serve immediately.

Pourgouri Pilafi

Cypriot bulgur-wheat pilaf

In our favourite Cypriot village taverna, at some point in the lavish meze dinner, a plate of this pilaf would make an appearance. You really do need good, fresh tomatoes. Though canned tomatoes are okay to use in this recipe, the texture is not nearly as nice as with fresh.

SERVES 4

- 1 medium-large or 2 small onions, chopped
- 2 garlic cloves, chopped
- 3 medium-sized, ripe tomatoes, peeled and diced
- 2 Tbsp extra virgin olive oil
- Handful of vermicelli, broken into small pieces (about 25 g/1 oz)
- 275 g/10 oz bulgur or cracked wheat
- 350 ml/12 fl oz vegetable or chicken stock, as desired
- Salt, black pepper and crushed, dried oregano leaves, to taste

Preparation: 15 minutes

Cooking time: 10–15 minutes

▲ *Pourgouri Pilafi*

❶ Lightly sauté the onion, garlic and tomatoes in the olive oil until they have softened, then stir in the vermicelli pieces. It should be of a sautéeing consistency rather than a sauce consistency, so add more olive oil if needed.

❷ Add the bulgur or cracked wheat, stir, then add the stock, salt, pepper and oregano. Cover and cook over a low heat until the stock is absorbed, and the wheat is chewy and tender, about 8 to 10 minutes.

❸ Leave the pilaf to sit a few minutes, then fluff it up with a fork and serve immediately.

Immjadara

Arabic rice and lentils

I prefer to use slate-grey-coloured puy lentils for this dish, as they stay together so nicely, and have such a fine, earthy flavour.

Cooking in olive oil enhances the desert flavour of this simple, nourishing dish. Serve on its own or as a bed for grilled lamb kebabs and/or slices of grilled aubergine (pg. 59), and accompany with a bowl of cooling, unsweetened yoghurt, a plate of sliced cucumbers and a spicy relish, such as a Turkish-style red pepper sauce.

SERVES 4

- 130 g/4½ oz brown lentils
- Bay leaf
- 2 onions, thinly sliced
- 3 Tbsp extra virgin olive oil
- 275 g/10 oz rice
- 5 cloves garlic, thinly sliced
- ½ tsp or more cumin
- 475 ml/16 fl oz stock, either vegetable, chicken or beef
- Several generous pinches of curry powder
- Seeds from 3–5 cardamom pods
- 2 garlic cloves, finely chopped
- Cayenne and black pepper, to taste
- Salt, if needed

Preparation: 15 minutes

Cooking time: 30–40 minutes

❶ Place the lentils in a saucepan, with the bay leaf and cover with water (water should cover the lentils by 2.5 cm/1 inch). Bring to the boil, reduce the heat and simmer, covered, for about 20 minutes or until the lentils are tender. Add more water if they seem too dry, or threaten to burn.

❷ Sauté the onions in the olive oil until they are lightly browned, then add the rice and cook with the olive oil and onions until lightly golden. Stir in the garlic and cumin, cook for a few minutes longer, then stir in the stock, curry powder and cardamom.

❸ Cover and cook over a medium heat until the rice is tender, for about 8 minutes, depending on which rice you are using. After about 6 minutes, check the rice for liquid: if it seems too wet, remove the lid; if it seems too dry, add a little more water.

❹ When rice is tender, stir in the chopped garlic, cayenne and black peppers and salt, if needed.

light supper and brunch dishes

I've included egg dishes in this chapter, dishes you might have for brunch or supper or indeed for a midnight feast. Fewer partners are more agreeable than eggs and olive oil—indeed, after cooking an omelette in olive oil, you may prefer it to butter forever.

Ajja

Tunisian scrambled eggs with sausages and peppers

Spicy sausages flavour this dish of scrambled eggs with onion, peppers and tomatoes, all cooked nutritiously in olive oil. For a vegetarian variation, I've made this dish using diced, smoked tofu instead of sausages, adding a mild chilli powder, such as ancho or pasilla, for spice.

Serves 4

- 175–225 g/6–8 oz spicy sausages, such as merguez or Spanish chorizo (Mexican chorizo is too high in fat for this dish)
- 1 onion, chopped or thinly sliced
- 1 green pepper, thinly sliced
- 1 red pepper, thinly sliced
- 4–5 Tbsp extra virgin olive oil
- 5 garlic cloves, chopped
- 5 ripe tomatoes, chopped or diced, including their juices (or use about 225–275 g/8–10 oz canned tomatoes)
- 6 eggs, lightly beaten (see note page 4)
- ¼ tsp cumin
- Salt and black pepper, to taste
- ¼–1 fresh, green chilli pepper, chopped, or to taste (or use a chilli-garlic paste, such as a Turkish, Chinese or Moroccan one)
- 2 Tbsp fresh, chopped coriander

Preparation: 15–20 minutes

Cooking time: 15–20 minutes

❶ Slice the sausages and cook them in an ungreased pan until lightly browned, then pour off any excess fat and drain on a plate or separate pan.

❷ Sauté the onion and the red and green peppers in the olive oil until softened, then stir in the garlic and cook through for a few moments. Add the tomatoes, increase the heat and cook over a medium high heat until the sauce is thick, about 8 minutes.

❸ Pour in the eggs, sprinkle with cumin, salt, pepper and chilli, or chilli paste as desired. Cook over a low-to-medium heat, stirring occasionally with a wooden spoon so that soft curds form as the beaten eggs cook.

❹ When the eggs are no longer runny, sprinkle with coriander and serve immediately.

Rolled Omelette

with green chilli, fresh dill, coriander and goat's cheese

The goat's-cheese filling is tangy and fresh, and the eggs are delicate when gently cooked in the fragrant olive oil.

SERVES 4

- 8 eggs, lightly beaten
- 2–3 Tbsp milk
- Salt and pepper, as needed
- 4–5 Tbsp extra virgin olive oil
- ½ or more green chilli, finely chopped
- 2 garlic cloves, finely chopped
- 115–175 g/4–6 oz goat's cheese
- 3 Tbsp chopped dill
- 3 Tbsp fresh chopped coriander
- Soured cream to taste (optional)

Preparation: 10–15 minutes

Cooking time: 10–15 minutes

❶ Prepare four individual omelettes, using two eggs for each, mixed with a little milk per omelette. Pour a tablespoon or two of olive oil into the omelette pan, and warm but don't overheat—it should smell fragrant, and be almost smoking, but not quite.

❷ Pour in the required amount of beaten egg, and cook for a few moments over a low heat, lifting the edges from the sides, and letting the runny egg flow under. When the egg is nearly set, sprinkle in a quarter of the chilli, garlic, goat's cheese, dill and coriander and fold over.

❸ Roll out of the pan and serve hot, topped with a scoop of soured cream, if desired.

Green-Bean Frittatas

with olivada topping

Tender, young, thin, green beans, cooked in a flat omelette in olive oil, then topped with a thin layer of black-olive paste (olivada) or tapenade, makes a delicious dish for picnics, or served as an antipasto or tapa.

SERVES 4

- 150 g/5 oz thin green beans
- 3 garlic cloves, crushed
- 3–4 Tbsp extra virgin olive oil, preferably Spanish, provençal or Greek, or as needed
- Salt and pepper
- 6 eggs, lightly beaten
- 3 Tbsp olive paste (olivada or tapenade, as much as desired)
- 2 Tbsp thinly sliced, fresh, sweet basil

Preparation: 15–20 minutes

Cooking time: 15 minutes

❶ Steam or blanch the green beans until they are bright green and crispy-tender. Rinse them in cold water to stop their cooking. Drain, and then cut them into bite-sized lengths.

❷ Warm the garlic in about a tablespoon of the olive oil, then add the green beans and warm through with the garlic. Season with salt and pepper. Remove the green beans from the pan and add them to the eggs, stirring to mix well with the eggs.

❸ In the same pan, heat a tablespoon or so of the olive oil, and when it is hot (but not smoking), add a quarter of the green bean–egg mixture, pouring and spreading it so that it forms a flat omelette. Cook over a medium heat until the bottom is golden, then brown the top under the grill. Remove it and place on a baking sheet. Repeat until you have four little, flat omelettes.

❹ Spread each omelette with olive paste, then sprinkle with basil.

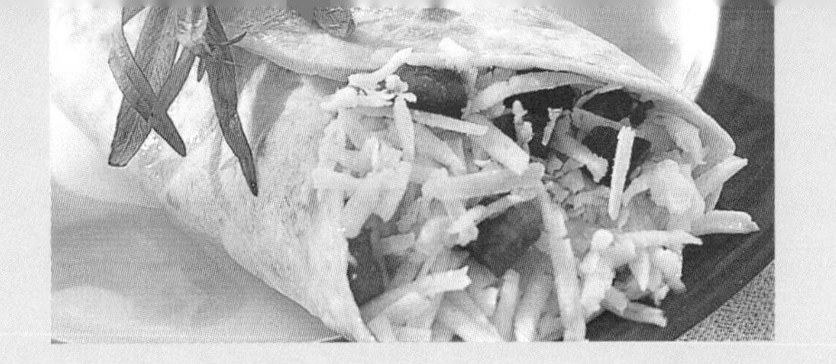

Olive oil with bread forms the basic meal for much of the Mediterranean. Salad, a little grilled meat, an omelette or a plate of pasta, are all mere additions to the basic everyday food of bread and oil.

pizzas, sandwiches and savouries

For this most Mediterranean of foods, drizzle the olive oil on a good, hearty bread. Sprinkle it with a coarse sea salt, and if the season is right, add a layer of fresh, sweet, ripe tomatoes and let their juices sink in. This is often my breakfast, with an added sprinkling of fresh garlic and basil, just a little extra olive oil, and perhaps an olive or two on the side.

Aubergine and Lamb Lahmajoun

with pine nuts and rocket olive salad

Lahmajoun is a Middle-Eastern, pizza-like pastry—I've given this classic a contemporary twist by using the more-easily-available flour tortilla, and topping the thin, pizza-like treat with a salad of rocket leaves and olives.

Serves 4

- 1 small-to-medium aubergine, diced
- Generous pinch of salt
- 225 g/8 oz minced lamb
- 4–6 Tbsp extra virgin olive oil
- 3 garlic cloves, chopped
- ½ onion, finely chopped
- 450 g/1 lb diced tomatoes, including juices (canned tomatoes are fine)
- Pinch each of cinnamon, cloves, allspice and oregano, to taste
- Salt, pepper and a pinch of sugar to taste
- 4 flour tortillas
- 2–3 Tbsp pine nuts
- Handful of rocket leaves
- 10–12 green olives, stoned and cut into halves or quarters

Preparation: 1 hour, 20 minutes

Cooking time: 20 minutes

❶ Sprinkle the aubergine generously with the salt, and leave to stand for ½ hour to 1 hour. Rinse well and dry.

❷ Sauté the aubergine in the olive oil with the lamb, garlic and onion until the vegetables are soft, then add the tomatoes and their juices, the spices, salt and pepper and a pinch of sugar. Cook over high heat until the sauce is thick.

❸ Spread this mixture over the four tortillas, then sprinkle with pine nuts.

❹ Grill until the edges of the tortillas are crisply browned, and the aubergine-tomato mixture is a thickened, paste-like topping, about five minutes.

❺ Serve each pizza-like lahmajoun topped with the rocket leaves and olives, and enjoy immediately.

Quesadillas Filled with

sheep's cheese, with a drizzle of tarragon-infused olive oil

These unconventional quesadillas are surprisingly delicious. They have none of the heat expected in a Mexican dish, but the simple, cheese-filled tortilla known as quesadilla *is flavoured with a drizzle of fresh tarragon-infused olive oil. The herbal olive oil makes a haunting, fragrant counterpoint to the earthy corn tortilla, a delicate surprise when hot and spicy flavours wrapped in tortilla are expected.*

Make the oil ahead of time (pg. 121), and you'll also find the dish delightfully quick to prepare. Any kind of dried grating cheese is fine, but I particularly like a sheep's cheese, such as Romano, or a variety of Mediterranean farmhouse sheep's cheese. And though fresh, ripe, in-season tomatoes are predictably tastiest in these quesadillas, they are also nice with canned tomatoes.

SERVES 4

- 8 corn tortillas, preferably white corn
- 175 g/6 oz hard, grating cheese, preferably a sheep's cheese, such as Romano, shredded
- 4–6 ripe tomatoes, blanched or raw (as preferred), peeled and diced
- 1–2 Tbsp Tarragon-Infused Olive Oil (pg. 121)

Preparation: 5–10 minutes

Cooking time: 5 minutes

❶ Heat the tortillas, either in a pan (nonstick and lightly greased) or in a microwave. Sprinkle the cheese and diced tomato on each warm tortilla, then fold over, and reheat either in the pan or microwave until the cheese has melted.

❷ Serve hot, immediately, drizzled with a little of the tarragon-infused oil.

Cuban Sandwich

A Cuban sandwich is a soft French-like loaf or baguette, filled with various meats, cheeses and so forth, then cooked in a frying pan, often with a heavy weight pressed on it. The result is a crisply-crusted, savoury-filled sandwich, at its best when opened and stuffed with a few little leaves of crunchy, fresh lettuce and a slice or two of ripe tomato.

Serves 4

- 1 soft stick French bread (half-baked is best)
- Extra virgin olive oil as needed (Spanish is preferable)
- Mojo sauce (pg. 121)
- 175 g/6 oz thinly sliced ham
- 115 g/4 oz thinly sliced, white cheese, such as Monterey Jack, manchego or cheddar
- 1 cooked chicken breast (115–175 g/ 4–6 oz) or cooked turkey breast, sliced thinly (alternatively, any cooked meat, such as pork, beef, or lamb,) thinly sliced
- 10–15 pimiento-stuffed green olives, sliced or halved
- Few leaves of green lettuce
- 2–3 ripe, sliced tomatoes

Preparation: 10 minutes

Cooking time: 15 minutes

❶ Brush the bread outside and inside with the olive oil, then splash it with a little of the mojo sauce. Layer the ham, cheese, chicken or meat and olives inside, splashing them all with a bit of mojo, then close up and press together tightly. Cut the loaf into four individual sandwiches.

❷ Heat a frying pan and brown the sandwiches in the pan; if you have a heavy weight, place this on top of the sandwich to keep it flat as it browns. Brown on both sides until the sandwich is crusty and brown, and the cheese has melted, then open the sandwich and tuck in the lettuce and tomato. Serve immediately, with more mojo if desired.

Variation

Place the sandwiches on a baking sheet and bake at 200°C/ 400°F/Gas Mark 6 until browned and the cheese has melted. Press the sandwiches down when you turn them over, and serve when sizzling hot.

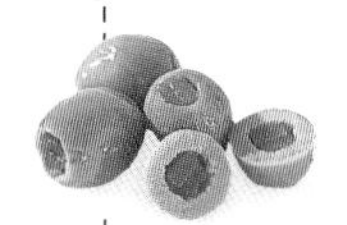

Tartina al Caprina

goat's cheese tartina on rye bread with herbed olive oil

Nothing could be simpler than fresh, tangy goat's cheese, spread onto bread and dribbled with olive oil infused with fresh herbs and garlic, but few things taste better.

SERVES 4

- 3 garlic cloves
- Several pinches of salt
- 1 tsp lemon juice
- 1–3 tsp each tarragon, basil, parsley, dill, rosemary and mint, or as desired
- 2 Tbsp fresh chopped chives
- 75 ml/3 fl oz flavourful extra virgin olive oil, such as provençal
- 8 small, thin slices of rye bread, preferably French- or German-style, without seeds, or French *pain levain*
- Fresh, mild goat's cheese, as desired

Preparation: 10–15 minutes

Marinating time: at least 1 hour

❶ Crush the garlic using a mortar and pestle, and add the salt, then work in the lemon juice. Add the herbs and chives, then stir in the olive oil and leave to marinate for an hour or longer.

❷ Spread the bread with the goat's cheese, then drizzle a little of the oil, either with the herbs intact or strained. Serve immediately.

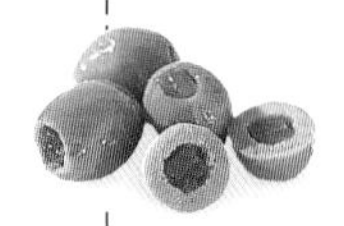

Muffaletta

New Orleans-style sandwich

SERVES 4–6

- 5 garlic cloves, chopped
- 25–35 black olives, stoned and sliced
- 25–35 green pimiento-stuffed olives, sliced
- 2 roasted, red peppers, peeled and cut into strips
- 3–5 Tbsp fresh chopped parsley
- ½–¾ cup extra virgin olive oil
- 1–2 Tbsp white-wine vinegar
- Several pinches of oregano
- 1 baguette or other freshly baked, country bread loaf
- 150–175 g/5–6 oz salami, sliced
- 150–175 g/5–6 oz mortadella, or more, sliced
- 150–175 g/5–6 oz prosciutto or Parma ham or more, sliced
- 150–175 g/5–6 oz Spanish chorizo sausage, sliced
- 400 g/14 oz thinly sliced, mild cheese, such as Monterey Jack, fontina, etc.

Preparation: 20 minutes

❶ Combine the garlic with the olives, peppers, parsley, olive oil, vinegar and oregano.

❷ Slice open the bread and hollow out some of the centre of the loaf.

❸ Drizzle the cut sides with some of the oily juices from the olive mixture, then fill the bottom with about two-thirds of the olive salad, then layer with the meats and cheeses, then top with the rest of the olive mixture. Close up tightly and chill until ready to eat.

This New Orleans-style sandwich is nearly as legendary as the oyster po'boy from the same town. Grocery stores all over New Orleans sell muffalettas, and every resident has his or her favourite. A muffaletta is a big chunk of Mediterranean-style country bread, best slightly sour, if your tastes are anything like mine.

A muffaletta is as excessive as the city it comes from—filled with roasted peppers, a relish of green and black olives, lots of garlic and a layering of salami, hams, mortadella, etc., with a few extra slices of cheese thrown in just to be sure.

Bocadillo from Santa Gertrudis

Santa Gertrudis is a little village in the hills of the Mediterranean island of Ibiza, which consists of an art gallery, a craft shop, an automatic bank machine and a bar that serves the most delicious little sandwiches, or bocadillos. *For breakfast, we always like the one filled with ham and manchego cheese, but some have only tomato and garlic, or grilled steak around lunch time. With a good, chilled beer, it is perfection.*

SERVES 4

- 4 large crusty bread rolls, with soft, tender, slightly-sour crumbs
- 4–8 garlic cloves, cut into halves
- Extra virgin olive oil, to drizzle generously
- 2–3 ripe tomatoes, slightly squished or thinly sliced
- Sprinkling of oregano
- 8–12 slices Parma ham, or prosciutto
- 8–12 thin slices of manchego or other mild, white cheese (I use Monterey Jack or Sonoma)

Preparation: 15 minutes

Cooking time: 10 minutes

❶ Partially cut, partially break apart the bread rolls lengthways, and lightly toast. Rub the cut garlic onto the toasted cut side of the bread—the coarse edges are slightly sharp and will act as a shredder. If there is any garlic left, just chop and sprinkle it on.

❷ Drizzle the cut garlic-rubbed rolls with olive oil, then rub with the tomatoes and sprinkle with oregano. Layer with the ham and cheese, close up and heat again, preferably in a pan, and with a heavy weight on the sandwich that will press it together as it heats through.

❸ Serve immediately, with a few olives on the side and the aforementioned beer.

Green Olive

and red-pepper piadina

Piadina, *occasionally available in some Italian delis, are flat, wheat-flour pancakes from Northern Italy near Bologna, where they are served with salami, cured meats and cheeses. I find them nearly identical to flour tortillas, and often use the easily available Mexican pancakes for a* piadina-*type snack. This makes a marvellous starter; if you like, add a spoonful of salsa for a bit of heat and pizazz ... but the soul and flavour of the dish lies in the olives, cheese and drizzled olive oil.*

SERVES 4

- 4 flour tortillas
- 12 pimiento-stuffed green olives, sliced
- 2 garlic cloves, crushed
- 1 pickled jalapeno chilli pepper (in jar) or ½ fresh, hot chilli pepper, finely chopped
- 1 red pepper, roasted, peeled and cut into strips
- 225 g/8 oz thinly sliced, mild, white cheese, such as Monterey Jack, cheddar or fontina
- 1–2 tsp extra virgin olive oil
- 1 Tbsp freshly chopped coriander

Preparation: 5–10 minutes

Cooking time: 5–10 minutes

❶ Arrange the tortillas on a baking sheet and scatter the top with the olives, garlic, chilli, and pepper. Top with the cheese and drizzle with the olive oil.

❷ Grill until the cheese melts and serve right away, with a sprinkling of coriander.

Eliopita

Cypriot olive-batter bread

I have tinkered with the traditional eliopita, *since I find that the pine-like scent of rosemary is a delicious improvement. While black olives are traditional, I make my* eliopita *with green, black or a combination of olives, often making this Cypriot snack with the oil from oil-marinated olives—if it's not too salty, that is.*

SERVES 4

- 375 g/12 oz plain flour
- 50 g/2 oz wholemeal flour
- 1 tsp baking soda
- 1 Tbsp dried-mint leaves
- 1 Tbsp fresh rosemary, chopped
- 125 ml/4 fl oz extra virgin olive oil
- 250 ml/8 fl oz warm water
- 1 onion, chopped
- Approximately 20 olives, stoned and cut into quarters or small pieces

Preparation: 20 minutes

Cooking time: 40 minutes

❶ Combine the two flours with the baking soda and the mint, and set aside.

❷ Combine the rosemary, olive oil and warm water, and stir into the flour mixture, then stir in the onion and olives. Work only until the mixture has the consistency of a thick batter.

❸ Pour the batter into a lightly oiled, 23 x 33 cm/9 x 13-inch or 30 x 38 cm/12 x 15-inch baking pan, and bake at 180°C/350°F/ Gas Mark 4 for 30–40 minutes, or until evenly browned and firm. Though traditionally served hot, I like to eat it cool, after it has set a while. When hot, it can be a bit squishy inside.

▲ *Green Olive and Red-Pepper Piadina*

Pizza Dough

One of the joys of making your own pizza is choosing your toppings. The other is its convenience: a batch of dough in your refrigerator can keep for about a week—simply punch it down every so often, than take it out when you are ready to bake.

MAKES 6 INDIVIDUAL PIZZA OR 2 LARGE PIZZA

- 300 ml/½ pt warm water (40–46°C/ 105–115°F–it should feel slightly hotter than your wrist)
- 1 package active, dried yeast
- 1 tsp sugar
- 50 ml/2 fl oz extra virgin olive oil
- 450 g/1 lb strong, white flour
- 115 g/4 oz wholemeal flour
- 1 tsp salt

Preparation: 2 hours
Cooking time: 10–30 minutes (depends on size of pizza)

❶ Combine the water with the yeast and sugar. When it starts to foam, after 5–10 minutes, add the extra virgin olive oil.

❷ Combine the two flours and set aside about 250 ml/8 fl oz of this mixture. Mix the rest of it with the salt in a big bowl and make a well. Into this well pour the liquid and using a fork at first, work into the dough. When it forms a sticky mixture, replace the fork with a big, wooden spoon, then use your hands.

❸ Using the leftover flours, dust a big board and turn the dough out on it. Dust your hands with flour and knead, continuing until your dough is smooth and elastic, with an almost-satiny sheen. You will need to keep flouring the board and your hands.

❹ The dough is ready when a finger pressed against the dough will spring back from the indentation, after about 10 minutes' worth of kneading, place it in a large, oiled bowl to rise.

❺ Cover the bowl with a damp cloth or clingfilm, and leave to rise. For it to rise quicker, leave in a warm place such as a warm kitchen or cupboard (about 90 minutes will do), or in the refrigerator, where it will take about a day and a half (good to know for make-ahead dough).

❻ Punch the risen dough down, and let it rise again; this time, it will rise much more quickly, and will have become quite malleable and easy to work with.

❼ After the dough has risen once again, punch it down and press it out, stretching the dough as you go, and arrange it on a baking pan or pizza pan. It is now ready to be topped and baked.

❽ Preheat the oven to 200–230°C/ 400–450°F/Gas Mark 6. Fill a ceramic baking pan with boiling water, then place it in the bottom of the oven. This helps to create a crisp crust in the same way that a pizza stone or bricks do. If you have a pizza stone or bricks, use those instead. Drizzle the topped pizza with extra olive oil, and bake in a hot oven for 15–25 minutes, depending on the size of the pizza(s) and ingredients in the topping.

BASIC TOPPING

A good, basic topping is puréed tomatoes, with a scattering of diced, fresh tomatoes added for texture. Chopped garlic, oregano and a layer of cheese if desired, and always a drizzle of a good, strong flavourful olive oil.

Pizza does not need a tomato topping. You can put ingredients directly onto the top of the pizza, such as marinated or sautéed artichokes, aubergines, courgettes, asparagus, onion slices, rosemary or a selection of white cheeses, all drizzled with a fragrant olive oil and a good sprinkling of garlic.

Pizza Toppings

ARTICHOKE AND GOAT'S CHEESE
To the basic pizza, add a handful of sliced, blanched, or marinated (from a deli or a jar) artichoke hearts and a little crumbled goat's cheese with a sprinkling of shredded mozzarella or fontina. Drizzle with olive oil and bake as directed.

MERGUEZ AND AUBERGINE PIZZA
In Provence, instead of the ice-cream truck making the rounds on a summer's night, the pizza man comes instead. These little trucks have wood ovens installed in them and turn out amazingly good pizzas. My favourite is merguez and aubergine: Top the basic tomato-and-cheese pizza from above with a scattering of lightly olive-oil–browned aubergine pieces and bits of merguez sausages. Bake until the sausages are browned, and serve.

PIZZA NAPOLITANO
Make a pizza base using half the quantity of pizza dough (pg. 114). Spread with a thin layer of tomato purée; one red onion, thinly sliced; several very ripe, flavourful tomatoes, diced (canned are fine); five or so anchovies, diced; five to ten black oil-cured olives (stoned and halved), two rounds of fresh mozzarella, thinly sliced; one teaspoon of capers and two garlic cloves, finely chopped. Drizzle with three or four tablespoons of olive oil, sprinkle with one tablespoon of oregano leaves and bake. Serve with freshly shredded Parmesan and a sprinkling of red, hot-pepper flakes, as desired.

OLIVE, MUSHROOM AND RICOTTA CALZONE
Prepare the pizza dough and roll it out thinly. Scatter the bottom with thinly sliced mushrooms, scoops of ricotta cheese, slivers of black, oil-cured olives, a drizzle of olive oil and a sprinkling of fresh thyme or rosemary. Fold over to enclose, seal the edges well, then spread tomato purée, diced tomatoes, cheese and more olive oil over the top of this. Bake as directed above.

I sometimes add diced, green pepper to this, or a bit of browned sausage, and always eat with sprinkled Parmesan and red, hot-pepper flakes, and a few more olives on the side.

CALIFORNIA CLASSIC CALZONE OF GOAT'S CHEESE AND GREEN CHILLI
Prepare the calzone as above, but fill the dough with goat's cheese, chopped garlic, chopped coriander and green chilli pepper. Top with tomato purée, and bake.

◀ *Pizza Napolitano*

Socca

thin crêpe of chick-pea batter and olive oil

Socca—the cry in the marketplace of 'tout chaud'—and the little boys on bicycles bring fresh socca from the bakery around the corner, and all gather to have a slab of this freshly made treat. Socca is only a thin batter of chick-pea flour and olive oil, baked into a large, thin crêpe. A sprinkling of either rosemary or cumin adds extra flavour, but black pepper is the only traditional seasoning, though in Nice you'll find socca made in wood-burning ovens so that it has an elusive, smoky scent. For that aroma at home, I often make it on the barbecue.

SERVES 4

- 230 g/8 oz chick-pea flour (also known as *besan* or gram flour)
- 1 tsp salt
- 3–5 Tbsp extra virgin olive oil, plus extra to cook socca in
- 350 ml/12 fl oz cold water, or more, enough to make a thick-enough batter
- Freshly ground black pepper
- Pinch of cumin
- Tiny plate of niçoise olives, to serve

Preparation: 15 minutes

Cooking time: 15–20 minutes

❶ Stir the chick-pea flour and salt together. Mix the olive oil with the water and stir it into the chick-pea flour. It will form a smoothish batter, but will still have a few lumps. Press it through a sieve to rid it of lumps, or put it in the blender. Season with cumin and pepper.

❷ Heat a tablespoon of the olive oil in a heavy frying pan, and when it is very hot, ladle in enough of the batter as you would for making crêpes, and swirl it around in the same way. Cook over a medium heat to cook through the bottom, then place it under the grill close to the heat to cook the top. Serve right away; for the full flavour of Provence, have a glass of chilled rosé and a little plate of tiny niçoise olives along with it.

Salsas, sauces and condiments—those little, strongly-flavoured concoctions that imprint all they touch with their own distinctive character. Olive oil on its own is a good condiment, as used throughout the Mediterranean. Sometimes mixed with lemon and herbs, sometimes with sea water, and often with nothing at all, served in a simple cruet for drizzling over soups or risottos, grilled fish or a crisp salad. Olive oil to dip bread into, to pour over beans, to whisk into mayonnaise or to simmer into mojo.

salsas, sauces and condiments

Sometimes it is the olive itself—feisty, pungent, infinitely varied, it is the basis of many sauces such as tapenade or even mustard. The following is a selection of favourite condiments with an olive flavour and goodness that will transform and enhance any dish.

Pistou

pounded paste of basil, garlic and olive oil

Unlike pesto, pistou does not have a thickening made with crushed nuts, but like pesto, it is often enriched with grated, sharp, Parmesan cheese. Stir pistou into pasta, steamed vegetables or a Mediterranean-style vegetable soup.

Pistou flavours vary, between using more or less garlic for pungency, extra basil for freshness and fragrance and olive oil for a smooth, rich texture.

SERVES 4

- 3 garlic cloves, peeled
- Several handfuls of fresh, sweet-basil leaves, torn coarsely
- 5 Tbsp extra virgin olive oil or more, as needed
- 6 Tbsp shredded Parmesan, or to taste

Preparation: 10–15 minutes

❶ Crush the garlic cloves using a mortar and pestle, then transfer it to a food processor or blender, and continue crushing. Add the basil, then slowly add the olive oil, working the mixture in until it forms a smooth paste. Add enough olive oil for it to be smooth and oily, then stir in the cheese.

❷ Store the pistou in a bowl or jar with a layer of olive oil over the top, for no longer than two weeks. If you wish to store it longer, you can freeze it for up to four months, but omit the cheese when freezing to ensure freshness.

Vinaigrette à la Moutarde

Dr. Esther's thick mustard-and-olive oil vinaigrette

Whenever Esther and I get together, we inevitably make salad, and we always end up making the following mustard-based dressing. If you like mustard, this is the dressing for you. Try it on a mixture of sturdy and delicate leaves, with a good scattering of fresh herbs, such as tarragon, chervil, chives and shallots.

SERVES 4–6

- 1–3 garlic cloves, finely chopped
- 2 Tbsp French mustard, such as Maille or Dijon, strong or mild, or use a wholegrain mustard
- 1–3 tsp vinegar, preferably balsamic, or a mixture of balsamic and raspberry
- 3 tsp extra virgin olive oil, or more if needed

Preparation: 15 minutes

Combine the garlic with the mustard and vinegar, then slowly add the olive oil, stirring well to combine it into a thick, yellow mixture. It should taste strongly of mustard, and should cling to the leaves of a salad with its glistening, olive-oil goodness.

▲ Pistou

Rouille

Rouille is a rust-coloured, garlic-and-chilli mayonnaise from the south of France, traditionally eaten with boiled fish or spread onto croutons for their fish soups.

This one, however, has a southwestern U.S. influence, and it is both simple to prepare and utterly delectable. Serve classically, with any boiled fish or fish soup, or spread onto grilled aubergines, or serve with roast pork or grilled fish.

SERVES 4

- 3–4 garlic cloves, crushed thoroughly using a mortar and pestle
- 1 tsp mild chilli powder
- 1 tsp paprika
- 1/8–1/4 tsp cumin seed
- 3–4 heaped Tbsp mayonnaise
- Salt and cayenne pepper to taste
- Juice of 1/4 lemon, or to taste
- 3 Tbsp extra virgin olive oil
- 1 Tbsp chopped, fresh coriander

Preparation: 15 minutes

Chilling time: at least 1 hour

❶ Combine the garlic with the chilli, paprika and cumin seed, then stir it into the mayonnaise. Stir in the salt, cayenne pepper and lemon juice, then slowly work in the olive oil, letting the sauce absorb it all before you add a little more. If the sauce can absorb more than 3 tablespoons, by all means add it. The richer the olive flavour, the more succulent the sauce.

❷ Taste for seasoning, then stir in the coriander. Chill before serving.

Black-Olive Aioli

This luscious spread or dip is startlingly purplish-black in hue, with a gloriously rich, olive flavour. Spread lavishly onto crusty ciabatta bread, then layer with roasted peppers, salami and rocket, or serve dabs of the aioli with chicken breasts, tomatoes, roasted red peppers and grilled asparagus.

SERVES 4

- 3 garlic cloves, chopped
- 2 Tbsp black-olive paste
- 2 Tbsp extra virgin olive oil
- 3–5 Tbsp mayonnaise, or as needed
- 1 Tbsp chopped, fresh basil

Preparation: 5–10 minutes

Combine the garlic with the olive paste, and add it to the mayonnaise in spoonfuls, until the mayonnaise turns a purplish colour and tastes richly of olives. Take care, as too much olive paste can curdle the mayonnaise. Stir in the rosemary or basil, and chill until ready to serve.

Mojo

Cuban garlic–citrus sauce

Mojo is Cuba's national table sauce, and like many Cuban foods, it has found a new home in southern Florida, where the traditional sour or Seville orange has been adapted to make all manner of citrus juices.

Here, I use a combination of tangerine and lime juice for a fragrant, sunshine-packed sauce. The balance of sweet, tart citrus, musky cumin and fragrant garlic-flavoured olive oil is delicious on almost anything, especially something cooked on a grill, such as lamb or sweet potatoes.

SERVES 4

- 3–4 Tbsp extra virgin olive oil
- 8 garlic cloves, thinly sliced
- 250 ml/8 fl oz tangerine juice
- 50 ml/2 fl oz lime juice
- ½ tsp ground cumin
- Salt and black pepper, to taste

Preparation: 5–10 minutes

Cooking time: 5 minutes

❶ Gently heat the olive oil with the sliced garlic until the garlic turns light golden (about 30 seconds), then add the remaining ingredients and remove from the heat.

❷ Leave to cool to room temperature, and taste for seasoning. This keeps and stays delicious for about three days in the refrigerator.

Tarragon-Infused Olive Oil

A few drops of this sprinkled around a plate creates a party-like effect, with its leafy, green hue and jolt of tarragon flavour. Note: You must follow the recipe instructions carefully as home-prepared infused oils can cause botulism (pg. 13).

MAKES ABOUT 125 ML/4 FL OZ

- Several handfuls of fresh (a small bunch) or 3–4 Tbsp frozen tarragon
- 125 ml/4 fl oz extra virgin olive oil

Preparation: 10 minutes

Infusing time: 2 hours

❶ Blanch the fresh tarragon, if using, or half-defrost the frozen tarragon. If using fresh, drop it into ice water before blanching, then squeeze out the excess water. The ice water will preserve the bright colour and crisp texture of the herb. Chop coarsely.

❷ Combine the herbs with the extra virgin olive oil in a blender and purée, off and on if you need to, until it is a smooth mixture of bright-green, thickly herbed oil. Pour into a container, cover and leave to infuse in the refrigerator for a maximum of two hours.

❸ Pour through a sieve or cheesecloth. This oil must be kept in the refrigerator and consumed within 12 hours.

Salsa Peruana Aji

Peruvian hot chilli-and-olive oil salsa

Aji is the Peruvian hot pepper, yellow in colour and more sweet than hot, though there are much spicier varieties. This salsa has a delicious flavour, and is great spooned onto grilled chicken, into black-bean soup, over a rare steak cooked over the hot coals or a bowl of plain, steamed rice or pasta. It's also very nice drizzled onto peeled and blanched baby broad beans, along with a shower of thinly shaved Parmesan or Romano cheese.

When choosing chillies for this dish, balance the heat and sweet-pepper flavour; for this you must know the heat of your chillies, and there is only one way to know this—by taste—carefully and judiciously proceed.

MAKES ABOUT 175 ML/6 FL OZ

- 125 ml/4 fl oz extra virgin olive oil
- 1 red pepper, diced
- 2–3 fresh red chillies, preferably large, somewhat-mild ones (if they are particularly mild, omit the red pepper and use only chillies), thinly sliced
- 5 garlic cloves, chopped
- 3 Tbsp lemon juice
- ½ tsp salt, or to taste
- Pinch of oregano, to taste

Preparation: 5–10 minutes

Cooking time: 15 minutes

❶ In a pan, heat the olive oil with the pepper, chillies and garlic, cooking and stirring for a few moments. Add the lemon juice, water, salt and oregano, and simmer for about 10 minutes.

❷ Taste for seasoning and serve either warm or cool.

Andalusian Tomato Vinaigrette

Tomato vinaigrette is delicious on so many of the sun-drenched salads of Andalusia. I especially like it tossed onto chick-peas, or with grilled artichokes (pg. 60).

SERVES 4

- 2–3 large garlic cloves
- Salt to taste
- 3 ripe tomatoes (canned are fine)
- 1 Tbsp balsamic vinegar
- 1 Tbsp sherry vinegar
- Pinch of oregano
- About 75 ml/3 fl oz extra virgin olive oil

Preparation: 10 minutes

❶ Using a mortar and pestle, grind the garlic with the salt until it forms a paste. Dice the tomatoes and work into the mixture. Add the vinegar and oregano, then slowly add the olive oil until it forms a vinaigrette.

▲ *Salsa Peruana Aji*

Skortalia

This Greek-style garlic sauce is as much about olive oil as it is about garlic. It is actually a mayonnaise, but does not use eggs to emulsify it. Skortalia *comes from the Greek word 'skorta', meaning garlic.* Skortalia *is eaten with all sorts of vegetables—if you order fried courgettes in Athens, it will usually come with this rich mixture. Crisp fish—either fried or barbecued—are classically served with* skortalia, *as are boiled beetroots. Hard-boiled eggs are also lovely with this sauce.*

Serves 4

- 2–3 large garlic cloves
- Large pinch of salt
- Juice of ½ lemon, or more to taste
- 1 small, freshly boiled and tender, peeled potato, broken into several pieces, plus a few Tbsp of its cooking water
- 125 ml/4 fl oz extra virgin olive oil, or as needed

Preparation: 15–20 minutes

Cooking time: 15–20 minutes

❶ Using a mortar and pestle, crush the garlic with the salt until it forms a paste, then work in the lemon juice and mix until it is smooth and creamy.

❷ Work in the potato and its cooking water, then slowly work in the olive oil, starting with a tablespoon or so, and repeat until the sauce is rich and delicious. After a while, you can add a slightly larger amount at a time, and stir it in with a fork or spoon.

a few desserts

Olive oil is a great cooking medium for desserts as well as savoury foods. In the Middle East, for instance, there are numerous pastries of deep-fried yeast doughs, served with syrups or honey. My favourites are the Greek loukamades*, which are basically tiny, fluffy doughnuts drizzled with honey, cinnamon and sesame seeds. Pure olive oil, with perhaps an added hint of extra virgin olive oil, fries these to a delicate, crispy, golden colour. Ordinary doughnuts are delicious cooked in olive oil; simply sprinkle them with sugar and cinnamon, and brew a nice cup of strong black coffee to have with them.*

You can also use olive oil for cakes, in place of other oils, butter, or margarine. Olive oil makes for a moist cake, and the olive flavour will only be as strong as the olive oil itself. Even with strong oils, the olive scent is elusive and smells like something pleasant but unidentifiable. The following are a couple of moist, olive-oil–scented cakes.

Muscat-and-Peach

olive-oil-scented sponge cake

This makes a plain, fragrant sponge cake, perfect for nibbling on with a glass of late-afternoon muscat on a Mediterranean sojourn ... it is at its best the next day, when it has had a chance to firm up and become mellow. I usually serve the cake with a demitasse of black coffee or espresso, and a bowl of sugared, sliced, fresh peaches, doused with a little more wine.

Though I call for a mild olive oil, the truth is that I use whatever I have to hand, and have made this using full-flavoured, extra virgin olive oils, with lovely results.

SERVES 6

- 4 eggs, separated
- Pinch of salt
- 150 g/5 oz raw brown sugar
- 1 ripe peach, diced
- ½ banana, diced
- 1 tsp rose water
- ⅛–¼ tsp almond extract, or to taste (optional)
- 150 g/5 oz plain flour
- 125 ml/4 fl oz muscat or other white wine
- 125 ml/4 fl oz p mild, extra virgin or pure olive oil

Preparation: 30 minutes

Cooking time: 40 minutes

❶ Combine the egg whites with the salt and set aside. Whip the egg yolks and mix in with the sugar, beating until they are creamy in consistency; then add the peach, banana, rose water and almond extract, and beat for a few moments longer or until frothy.

❷ Sift the flour into the liquid and stir gently until well blended, then stir in the wine and olive oil.

❸ Whisk the egg whites until they form firm peaks, then fold about a third into the batter to lighten it, and fold the rest in. Fold in the wine and olive oil.

❹ Grease and flour a cake tin, and place a piece of buttered baking paper the same size and shape of the pan bottom. Pour in the batter, then place in a preheated oven at 190°C/375°F/Gas Mark 5, and bake for about 20 minutes.

❺ Lower the heat to 160°C/325°F/Gas Mark 3, and bake for another 20 minutes or so, then remove from the oven and leave to cool. When the cake is halfway cool, loosen the sides with a knife, then invert gently.

Gooey-Chewy, Double-Ginger Cake

The sides of this cake rise up into chewy, almost-crisp edges, while the middle slumps into an almost-gooey confection. Chunks of chopped, fresh ginger add zing, and the olive oil keeps it moist and hearty.

Serves 115 g/4 oz

- 115 g/4 oz raw brown sugar
- 175 g/6 oz caster sugar
- 175 ml/6 fl oz corn syrup
- 1–2 Tbsp fresh root ginger, chopped coarsely
- Pinch of salt
- 75 g/3 oz dark-brown granulated or molasses sugar
- 50 ml/2 fl oz coffee (I use cold, leftover coffee from breakfast)
- 50 ml/2 fl oz skimmed milk
- 75 ml/3 fl oz extra virgin or pure olive oil
- ¾–1 tsp ground ginger
- ¼ tsp ground cinnamon
- Large pinch or two of ground cloves, or to taste
- 225 g/8 oz plain flour
- 1 egg, lightly beaten
- ¾–1 tsp vanilla flavouring and/or ¼ tsp vanilla extract
- Few drops of vinegar

Preparation: 30 minutes

Cooking time: 1 hour

❶ Combine the raw brown sugar, white sugar, corn syrup, fresh root ginger, salt and dark-brown granulated or molasses sugar in a saucepan, and heat over a medium-low flame until the sugar and syrup melt together. Let it cool a bit, then stir in the coffee, milk, olive oil, ground ginger, cinnamon and cloves. Slowly add the flour, egg, vanilla and vinegar.

❷ Pour into a round, oiled and floured baking tin, and bake at 180°C/350°F/Gas Mark 4 for about an hour or until the sides start to pull away from the tin. Test the inside, if it seems too runny, turn off the oven and leave the cake in the oven as it cools, for about 15–20 minutes or until the middle seems chewy, but settled.

❸ Remove from the oven, and leave the cake to cool.

Gooey-Chewy, Double-Ginger Cake

The sides of this cake rise up into chewy, almost-crisp edges, while the middle slumps into an almost-gooey confection. Chunks of chopped, fresh ginger add zing, and the olive oil keeps it moist and hearty.

Serves 115 g/4 oz

- 115 g/4 oz raw brown sugar
- 175 g/6 oz caster sugar
- 175 ml/6 fl oz corn syrup
- 1–2 Tbsp fresh root ginger, chopped coarsely
- Pinch of salt
- 75 g/3 oz dark-brown granulated or molasses sugar
- 50 ml/2 fl oz coffee (I use cold, leftover coffee from breakfast)
- 50 ml/2 fl oz skimmed milk
- 75 ml/3 fl oz extra virgin or pure olive oil
- ¾–1 tsp ground ginger
- ¼ tsp ground cinnamon
- Large pinch or two of ground cloves, or to taste
- 225 g/8 oz plain flour
- 1 egg, lightly beaten
- ¾–1 tsp vanilla flavouring and/or ¼ tsp vanilla extract
- Few drops of vinegar

Preparation: 30 minutes

Cooking time: 1 hour

❶ Combine the raw brown sugar, white sugar, corn syrup, fresh root ginger, salt and dark-brown granulated or molasses sugar in a saucepan, and heat over a medium-low flame until the sugar and syrup melt together. Let it cool a bit, then stir in the coffee, milk, olive oil, ground ginger, cinnamon and cloves. Slowly add the flour, egg, vanilla and vinegar.

❷ Pour into a round, oiled and floured baking tin, and bake at 180°C/350°F/Gas Mark 4 for about an hour or until the sides start to pull away from the tin. Test the inside, if it seems too runny, turn off the oven and leave the cake in the oven as it cools, for about 15–20 minutes or until the middle seems chewy, but settled.

❸ Remove from the oven, and leave the cake to cool.

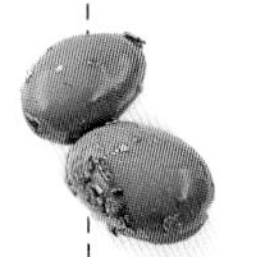

Index